ニセ科学を見抜くセンス

左巻 健男
SAMAKI TAKEO

新日本出版社

読者のみなさんへ——私がニセ科学批判をするわけ

ニセ科学（疑似科学やエセ科学とも言われる）が世の中にあふれています。ニセ科学は、「科学っぽい装いをしている」あるいは「科学のように見える」にもかかわらず、とても科学とは呼べないものを指しています。

ニセ科学でとくに問題なのは、健康系・医学系です。ことは生命にかかわります。通常の治療を否定して治る病気を悪化させるなど取り返しのつかないことになる場合もあります。また、医学的根拠のない治療や商品で散財したりします。

ニセ科学には、現代科学の大きな柱のひとつになっている「エネルギー保存の法則」などを否定したり、物理学のまともな「波動」ではない、いかがわしい「波動」の存在を述べたりするものも多くあります。これらは、科学的な思考を麻痺させ、思考停止にし、国民を非科学の方向にいざなうものです。

「科学はよくわからない、興味もあまりない、でも科学は大切だ」と思っている人がたくさんいます。科学と無関係でも、論理などは無茶苦茶でも、科学っぽい雰囲気をつくられれば、ニセ科学を信じてくれる人たちがいます。実は科学的な根拠はないニセ科学の説明がはびこっているのは、そういう科学への信頼感を利用しているからです。すぐにオカルト的と見抜かれる説明よりも、科学っぽい装いで、科学用語をちりばめながらわかりやすい物語をつくって、ニセ科学へいざなっていくのです。

私は、もともとは中学校・高等学校の理科教諭でした。生徒とたのしくわかる理科の授業に悪戦苦闘し、現場からの理科教育の研究成果を発信しようとしてきたつもりです。今は大学の教員として小中高の理科教育、一般の人の科学リテラシーの育成を専門にしています。

現代の変動の激しい高度知識社会で必要とされる知識は、理科の関係では、科学リテラシーと言われます。リテラシーというのは、もともと「言語の読み書き能力」でしたが、基礎的な科学知識の重要になった現代にあって、科学リテラシーが誰もが身につけてほしい科学を読み解く能力として登場してきました。

そこで、私は、現代では、「読み・書き・そろばん」だけでは不足だと考えて、「読み・書き・そろばん（算）・サイエンス」を主張しています。そんなことからニセ科学も研究対象にして、大人のための理科雑誌『理科の探検（RikaTan）』誌を仲間と共に発行したり、本を書いたりしてニセ科学に警鐘をならしてきました。

理科の土台になっている自然科学は、素粒子の世界から宇宙の世界までの秘密を探究し、世界がどうなっているか（自然像）を日々明らかにしつつあります。自然科学は、重要な人類の文化のひとつであり、論理性や実証性が特徴です。自然科学でわかっていないことも膨大にありますが、わかってきたことも膨大にあり、疑いのない真実の基盤は増え続けています。

私が専門とする理科教育は、自然科学を学ぶことで、自然についての科学知識を身につけ、その活用をはかり、科学的な思考、判断の力を育てる教育です。

その学校の中にもニセ科学が忍び込んでいます。理科教育を専門とする私はニセ科学が学校にまで影響を及ぼしていることに危機感をもったのです。

ではニセ科学にはどんなものがあるでしょうか。

細かく見ていくといろいろありますが、大まかにいくつかを列挙してみましょう。

がんが治る・ダイエットができるとするサプリメント（栄養補助食品）・健康食品の多く、健康によいとする水、ホメオパシー、経皮毒、デトックス、血液サラサラ、着けると健康によいというゲルマニウムやチタン製品・トルマリン（電気石）製品、ゲーム脳、「人間の脳は全体の10％しか使っていない」「右脳人間・左脳人間が存在する」などの神経神話、水からの伝言、マイナスイオン、ＥＭ（ＥＭ菌）、ナノ銀除染、フリーエネルギー、血液型性格判断、「知性ある何か」によって宇宙や生命を設計し創造したとするインテリジェント・デザイン説、アポロは月に行っていなかったとするアポロ陰謀論、人口減少させるために何者かが有毒化学物質をまいているとするケムトレイルなど。

中には「そんなものは初めて知った」というものがあるかもしれません。

有名なニセ科学に、水が言葉を理解し、「ありがとう」という言葉を見せた水を凍らすときれいな結晶になり、「ばかやろう」では汚くなるか結晶にならないとする「水からの伝言」があります。理系の大学2年生約80人に知っているかどうかを聞いたところ、知っていたのは7人でした。「有用微生物群」というＥＭも同じようでした。

「水からの伝言」やＥＭは、マイナスイオンと違ってテレビではほとんど扱われません。それなのに、約1割の人が知っているのです。今後知る可能性を入れるとその割合はもっと増えるでしょう。

本書では、それらすべてのニセ科学を取り上げることができませんでした。しかし、ニセ科学を見抜くセンスを身につけるのに必要と思われる具体例を入れたつもりです。理科教育を土台にした科学リテラシー育成の観点から、ニセ科学の具体例を通して、ニセ科学に財布や心を狙われないようにするにはどうしたらよいかを考え合いたいと思います。

２０１５年7月　左巻健男

ニセ科学を見抜くセンス*目　次

第1章　科学であることから遠ざかり、宗教に近づいたEM

1　もっとも危険なニセ科学と思うのはEM

(1)　EMとは?

ＥＭは有用微生物群 Effective Microorganisms の英語名の頭文字です。通称、ＥＭ菌とも呼ばれますが、「ＥＭ菌」という菌は存在しません。本当に有用かどうかははっきりしません。開発者の比嘉照夫氏がそう名づけただけだからです。

ＥＭが知られるようになったのは、比嘉照夫『地球を救う大革命』（サンマーク出版、１９９３年）がベストセラーになったのがきっかけです。国立琉球大学農学部教授が書き、高名な経営コンサルタントの船井幸雄氏が応援したことで話題になったのです。

ＥＭは、もともと世界救世教という新興宗教が関係した微生物資材（農業用）です。世界救世教は、国内に１００万を超える信者を持ち、浄霊という手かざしの儀式的行為を各信者が行うこと、自然農法を推進すること、芸術活動を行うことを特徴としています。

今も世界救世教関連の自然農法国際研究開発センターが設立した（株）ＥＭ研究所が農業用の微生物資材としてのＥＭを製造しています。斎藤貴男『カルト資本主義』（文藝春秋、１９９６年）によると、「ＥＭ菌は、〝神からのプレゼント〟と形容され、世界救世教の教祖・岡田茂吉（故人）が創始した救世自然農法の普及活動の一環である」ということです。

ＥＭは単一の微生物ではなく、その中身は乳酸菌、酵母、光合成細菌などの微生物が一緒になっている共生体ということです。何がどのくらいあるかという組成がはっきりしていません。研究者が調べてみると肝心の光合成細菌がふくまれていないという報告があります。乳酸菌や酵母はふくまれているので、その働きはあるでしょう。

(2)　ＥＭの商品群

ＥＭの商品群はＥＭ研究機構などのＥＭ関連会社から販売されています。ＥＭは特定の会社から販売されている商品名のようなもので、商標登録（ＥＭ^{TM}）されています。

（株）ＥＭ研究機構のサイトによると、次のような広い範囲の商品群があります。

1　ＥＭを用いた微生物資材（農業資材）
2　ＥＭを使用して作られた各種製品（健康飲料、農産物、化粧品、食品類）
3　その他、ＥＭを利用した資材（ＥＭぼかし、ＥＭストチュー、ＥＭセラミックス等）
4　ＥＭを活用したＥＭ技術（土木建築、食品加工、環境浄化、塩類集積対策、化学物質汚染対策等）

ＥＭを代表するのはＥＭ-１（ＥＭ1号）という濃い茶色の液体です。５００ミリリットルで１１００円です。エサになる有機物（米のとぎ汁や糖蜜）を加えた溶液で培養してＥＭ発酵液として使います。米のとぎ汁を使わないで糖蜜を多くして培養したＥＭ活性液が使われることもありますが、低コストなＥＭ発酵液の方が一般的です。なお、ＥＭ発酵液もＥＭ活性液と呼ばれる場合があります。

ＥＭ系企業が販売に力を入れているのが、５００ミリリットルで４５００円のＥＭ・Ｘ ＧＯＬＤという清涼飲料水です。この他にＥＭセラミックス、ＥＭせっけんなどさまざまなＥＭ製品が販売されています。

(3) ＥＭのニセ科学になぜ危険性を感じるのか

ＥＭのニセ科学性については後で具体的に述べることにして、私がニセ科学の中で、もっとも危険性を感じるのが、このＥＭです。その理由を3つあげておきましょう。

① まず、学校や環境活動に入り込んで影響力があること、そこでは善意の人らが普及を担ってしまっていることです。

一部の学校では、先生方が子どもたちにＥＭぼかしやＥＭ団子を作らせて、プールや川や海に投げ込んでいます。環境活動を行っているボランティア団体でも同様なことを行っています。

ＥＭぼかしやＥＭ団子の水環境への投入が水環境をよくするという科学的な根拠は、はっきりしていません。逆に専門家から、そのことが水環境を悪くするという警告がされています。

特定の会社の商品であるEMを使った活動を、自治体が助成金を出して支援してしまっている場合が多くあります。もちろんその支援の原資は税金です。

② 次に、EMが政界に影響力を及ぼしていることです。

安倍内閣の下村博文文科大臣は、比嘉氏の講演を聴いて「EM技術による放射能被曝対策もできるそうだ。……同様の提案が私のところにも他からも来ている。私も勉強してみたい」とブログで述べていました。

安倍内閣は、市議・県議時代からEMの広告塔的立場だった高橋比奈子衆議院議員を環境政務官につけました。これについては、『週刊文春』（２０１４年10月30日号）秋の特大号に「元女子アナ環境政務官は〝トンデモ科学〟の広告塔　まだある女性抜擢（ばってき）失敗！」という記事が掲載されました。

政界では、２０１３年12月3日に国会議員の超党派による「有用微生物利活用推進議員連盟」が発足しています。会長は野田毅衆議院議員（自民）、幹事長は平井たくや衆議院議員（自民）、事務局長は高橋比奈子衆議院議員（自民）です。

比嘉氏によると、「スタートは50人内外でしたが、その後も新規に加入いただいていますので、近々１００人を超える規模になりそうです」（２０１４年1月18日　EM情報室　WEBマガジンエコピュア　連載　新・夢に生きる［79］）。

比嘉氏は、さまざまなEM商品を全部使うEM生活をすることを国民の義務にすることを狙っています。国民全体がEM・X　GOLDという清涼飲料水を飲み、さまざまなEM商品を使う

「ＥＭ生活」をするようになれば、生活習慣病などはなくなるので、もし病気になったら自己責任であり社会保険制度は不要という主張です。

③　三つ目に、ＥＭ批判者の批判封じの働きかけをしていることです。

ＥＭ研究機構の顧問と社員が、ＥＭの非科学性について批判している人らの自宅や所属機関に押しかけたりして、「名誉毀損」「営業妨害」だとして批判封じの働きかけをしています。

こうした役目を行っているＥＭ研究機構の顧問は、ときにはＥＭ研究機構の顧問であることを隠して、大学客員教授やジャーナリストの肩書きを使い、その批判封じをしたりしています。

本来なら、ＥＭ批判をしている研究者とは公明正大に議論をすればよいのです。本当に商品の性能に自信があるなら第三者に自由に検証してもらい、もし問題が見つかれば商品の改良を重ねていき、批判を基により良い商品開発を目指していくのが企業としてのあり方です。

２　ＥＭ開発者・比嘉照夫氏の野望

(1)　ＥＭ生活をすることを国民の義務に

「有用微生物利活用推進議員連盟」は、比嘉氏の「ＥＭによる理想的な国づくり」のためのものでしょう。比嘉氏は、「国がすべての分野でＥＭを徹底して使うように、法的強制力を持って、ＥＭを空気や水の如く使うように義務化すれば、ＥＭによる国づくりは即完成とな」る、「ＥＭ

生活をすることが国民の義務ということになれば、有用微生物利活用議員連盟は日本をして未来型国家にする大きな役割を果たすことも可能とな」ると述べています（ＥＭ情報室　ＷＥＢマガジン　エコピュア　連載　新・夢に生きる［79］）。

比嘉氏は、国民がＥＭ生活をするとどのようになると考えているのでしょうか。次の比嘉氏が書いたものを読むとイメージしやすいでしょう。

1　ＥＭ製品を身に着けていたので交通事故に遭っても大事に至らなかった。
2　ＥＭ生活をしていると大きな地震が来てもコップ一つも倒れなかった。
3　ＥＭ生活をしていると電磁波障害が減り、電気料金も安くなり、電機製品の機能が高まり寿命も長くなった。
4　ＥＭを使い続けている農場やゴルフ場の落雷が極端に少なくなった。
5　ＥＭ栽培に徹していると自然災害が極端に少なくなった。
6　ＥＭ生活を続けていると、いつの間にか健康になり人間関係もよくなった。
7　ＥＭを使い続けている場所は事故が少なく安全である。
8　学校のイジメがなくなり、みんな仲良くなった。
9　動物がすべて仲良くなった。
10　すべてのものに生命の息吹が感じられるようになった。
11　ＥＭで建築した家に住むようになり、ＥＭ生活を実行したら病人がいなくなった。

12　年々体の調子がよくなり、頭もよくなった。
13　ＥＭの本や情報を繰り返しチェックし確認する。
14　いろいろな事が起こっても、最終的には望んだ方向や最善の結果となる。
（ＥＭ情報室　ＷＥＢマガジン　エコピュア　連載　新・夢に生きる［74］）

(2)　ＥＭは神様、いいことはＥＭのおかげ、悪いことはＥＭの極め方が不足

比嘉氏は、「ＥＭは神様」ですから「なんでも、いいことはＥＭのおかげにし、悪いことが起こった場合は、ＥＭの極め方が足りなかったという視点を持つようにして、各自のＥＭ力を常に強化すること」を勧めています（ＥＭ情報室　ＷＥＢマガジン　エコピュア　連載　新・夢に生きる［74］）。ＥＭはあらゆる病気を治し、放射能を除去するなど、神様のように万能だというのです。そして、「効くまで使いなさい」という指導がなされています。

ＥＭに囲まれた場所は「結界」（宗教用語：聖なるものを守るためのバリア）になると言います。病気にもならず、事故にも遭わず、自然災害が極端に少なくなり、年々体の調子がよくなり、頭もよくなるというのです。科学ではなく一種の宗教になっていると思わずにはいられません。

(3)　比嘉氏の本音

２０１２年８月21日にユーチューブにアップロードされた【実践活動・比嘉照夫氏講評と今

後】がありました。「Zutto_3のブログ」にその文字起こしがされています。その一部を紹介しましょう。ＥＭがどんなものか、比嘉氏の本音はどんなものかが垣間見（かいまみ）えるでしょう。
●がついた見出しは私がつけたものです。

●ＥＭは科学的検証の義務はない！
もう一つは　その強烈な　ＥＭえ～反対派
……で　え～そのＥＭを叩く人たちは　え～科学的検証は（笑）あ　されてない　とこういう風に言ってますが　あの～果たしてそういう科学的検証の義務があっ　あるのかと
ＥＭに対して　これは無いんですよ
……で　これを学会で勝手に自分らが（笑）間違った試験をして　ＮＯ　と言ったりですね　県が勝手にこれを取り上げて試験をして効果が無かったという権限は無いんです　どっこにも無いんです　法律的根拠を示せ
●裁判で賠償請求する！
（ＥＭ批判の朝日新聞青森の記事が出たので）少なくとも年間１％　あ～被害はあると見たとした時　ですね　～年間50億ありますから　１年間　５０００万　で～ま～　15年ですから
７億５千万　日本土壌肥料学会に　賠償要求をします
同時にＥＭの名誉回復と謝罪をさせる　と　今　弁護士を通して　その準備をしています。
●ＥＭを叩いた学者グループに対しても　７億５千万ぐらい賠償要求する！

でも　朝日新聞の　あ～青森支局から出たお陰で　ですね　（フフフ）今度は一網打尽に
……　で　今度は　そのＥＭを叩いた学者グループに対しても　7億5千万ぐらい賠償要求をしようと
これは　も　グループになってるっていうのはtwitterで見りゃぁ全部わかってますので
この人達を　全部名前引き出して　ですね　裁判に引っ張り出して　こ～んどはもう徹底的に叩こうと思っています
……　ですから　それを拒否させない様に　これからやります　ですから僕はあのもう　朝日新聞（笑）のＥＭを叩いた記者に　も　とても感謝しています（笑）（うははは）
●福島県民は江戸時代の人民なので原子力発電所が出来た！
いや～福島県の県民を見てるとね　江戸時代の人民を見ているみたいでね（へっへっへっへっ）
……　上がね　嘘を言ってもね　正しいと思って　へへぇ～と言って言う事を聞く　とうこんな住みやすい県は無いと（うん）
ですから　すぐ原子力発電所が出来たのかも知れない（あぁぁ……）
●フジテレビ1社を爆破するのはわけない！
昔　フジテレビ取材したら　ほ～んに　ちょっとの所だけ捕らえてね　反対派の意見　いっぱい載せて　私を叩いたという　そういう事をやりましたので
いや～　フジテレビ　昔　そんな事やりましたよね～　あの時は若くて　もう　とてもじゃ

無いけどね　あの〜（うん）　殺し屋頼んで　記者を殺そうと（フフフ）思ったけどね（ウフン）出来なかった（エヘッ）（フッフッフ）でも今は　力があるからね
フジテレビ一社　爆破するのは訳ない（ヒャッハッハ）（ウフ）（ハハハ）
……従来の理論とか　感情論でね　これをコメントしてね　我々を貶（おとし）めるような事があったなら　私は　もう　どんな事しても　フジテレビを爆破します（ンハッ）（フッフッフ）（クックックッ）

●九州・沖縄はEMの天下！
今　九州は　どこも抵抗勢力は　ありません
……で　え〜　沖縄県は　農業試験場長は　あたしの　そこの　卒業生です
……　もう沖縄は　EMの　総本山ですから　今　着々と進んでいます

ここで比嘉氏が言及する「EM批判の朝日新聞青森の記事」とは、2012年7月3日付、同11日付に朝日新聞青森版に載った長野剛記者による記事です。

7月3日付の記事は、〝EM菌効果の「疑問」、検証せぬまま授業「水質浄化」の環境教育〟という見出しでした。

『EM菌』という微生物を川の水質浄化に用いる環境教育が、青森県内の学校に広がっている。普及団体は独自理論に基づく効果を主張するが、科学的には効果を疑問視する報告が多い。県は、効果を十分検証しないまま、学校に無償提供して利用を後押ししている。あいまいな効果を『事実』と教える教育に、批判の声も上がっている……」

「県東青地域県民局は２００４年から管内の希望校にＥＭ菌を無償で提供。提供開始にあたり、県はＥＭ菌による浄化活動が行われている川で1年間、水質を調査。だが、顕著な改善は確認できなかった……」

「水質浄化の効果についても、否定する報告が多い。岡山県環境保健センターは１９９７年度、ＥＭ菌は水質浄化に『良好な影響を与えない』と報告。実験用の浄化槽にＥＭ菌を加えて６００日間観察したが、ＥＭ菌のない浄化槽と同じ能力だった。広島県も03年、同様の報告をしている。三重県の05年の報告は、海底の泥の浄化に『一定の効果があると推定』した。湾内２カ所の実験で、１カ所で泥中の化学的酸素要求量（ＣＯＤ）が減少したためだ。だが、水質に関しては効果がなかった。岡山県の検証に参加した職員は『川や池でも試したが効果はなかった。ＥＭ菌が効く場合が全くないとは言い切れないが、どこでも効果が期待できるようなものではない』と指摘する……」

同11日付の記事の見出しは、〝効果疑問のＥＭ菌　県内3町が奨励〟です。

「板柳と中泊、鰺ケ沢の3町が、科学的に効果が疑問視されるＥＭ菌を『水質浄化や農地改良に有効』として町民に薦めている。各町はＥＭ菌を培養し、町民に配布。板柳町はＥＭ菌販売業者に４０００万円で効果検証を委託し『有効』としたが、専門家は検証を『科学的に無効』と指摘する……」「ＥＭ菌の効果を認めない多数の報告について、朝日新聞はＥＭ研究機構に見解を求めたが、回答はなかった」

それまで新聞に載ったＥＭ記事は、ＥＭを学校などで環境活動で使ったという肯定的なものが多かったのですが、長野記者の記事は県内の学校や県庁を取材し、学校の環境教育でＥＭが使われることへの警鐘となりました。地方版の記事であったにもかかわらず、ネット上で大きな話題になり、当日のうちにデジタル版全国社会面に転載されました。

先の比嘉氏講演は、この「ＥＭ批判の朝日新聞青森の記事」をきっかけに、以前、ＥＭに顕著な効果はないとした日本土壌肥料学会や、ニセ科学批判の学者らへの強い反撃の宣言だったようです。

3　ＥＭはもともと農業用微生物資材

(1)　もともとはサン興産業がＥＭの種菌を製造

１９８６年頃、サン興産業が同社の農業用微生物資材である『サイオン』の効果確認・使用方法の確立を琉球大学の比嘉氏に依頼したのがＥＭ（有用微生物群）なる概念に至るきっかけだったようです。

『比嘉照夫のすべて』（サンマーク出版、１９９８年）では「ＥＭの製造は2か所で行われているが、成分は同じ」とあります。そこに、サイオンＥＭと自然農法国際研究開発センター（限定販売）の写真が並んでいます。後者は世界救世教の関連団体です。ＥＭには比嘉ＥＭとサイオンＥ

Ｍがあるということです。

⑵　サイオンEM側の静かな怒り

途中で方向性が違って、サン興産業のサイオンＥＭから分かれた比嘉ＥＭは、ＥＭ研究所が製造しています。

サン興産業のサイトには、本物のＥＭを製造しているのはサイオンＥＭだという自負が感じられます。

Since １９８３（昭和58年）～サイオンＥＭを製造して約30年

有限会社サン興産業を応援して頂き、誠に有難う御座います。

サン興産業は農業分野や環境分野、畜産分野等で長年の研究を重ね色々な製品を開発しました。他社がサン興産業の製品を真似し、販売しようとしていますが、実績効果を積み重ねてきたのはサイオンＥＭです。品質と指導のサン興産業です。ご注意下さい。

サン興産業はこれからもお客様のニーズに合わせた技術と製品を製造する様努力致します。

今後とも応援の程、宜しくお願い申し上げます。

（中略）

なぜＥＭが効かないのか？

……　さらにもう一つの間違いは活性液の製造及び利用方法です。弊社サン興産業は機会のあるたび又、いくつかの文書として活性液の危険性を警告しております。ＥＭ活性液は１００％効果があります。でも、しかしとの条件がつきます。「良い活性液か、悪い活性液かです。」その区別が付かず、良い活性液も悪い活性液もＥＭ活性液と一般に呼称されています。しかし悪い活性液はＥＭ活性液と呼んではいけません。

この事を十分に理解し指導しているのは弊社サン興産業のみです。決して他のＥＭの普及に努力している人々の非難をしているつもりではありません。その違いを知らない又は黙認している為に結果的にそうなっている事に気が付いて欲しいのです。

ここで良いＥＭ活性液とＥＭ活性液ではない悪いＥＭの違いを話します。

サン興産業は過去にＥＭに取り組んでいたが、効果が無くやめてしまった人々の話しを聞き原因を追求しました。失敗の原因は悪い活性液を失敗するまで使ったからです。サン興産業は原液を使う事が基本です。……

今現在の姿は良い活性液を作り、現場の状況に合わせて効率の良い使い方をして最高の効果を得る事では無く、ＥＭをどれだけ多く増やせるかがＥＭを知っている事となり、ＥＭを増やす事が目的になっております。しかしそれは悪いＥＭでありＥＭ活性液ではありません。

「他のＥＭ」では粗製濫造でＥＭの効果を減じている場合があることを静かに怒っているようです。「他のＥＭ」である比嘉ＥＭ1号を飲んで問題が起こったりする一因は、サン興産業の言う「悪い活性液」を使ったからかもしれません。

(3)　農業用資材としてのＥＭの効果に疑問

最初に商品化されたＥＭは土を改良する農業用資材でした。土を改良する農業資材としてのＥＭの有効性をめぐって何かと論議を呼びました。社団法人日本土壌肥料学会は、１９９６年８月に東京農業大学で公開シンポジウム「微生物を利用した農業資材の現状と将来」を開きました。その資料で「ＥＭ試料には抗微生物活性は認められなかった」「評価に耐えるものではない」など、従来の有機肥料と比べてＥＭの顕著な効果を否定する結果が示されています。

この日本土壌肥料学会の見解に対して、比嘉氏は、世界救世教の内紛で、ＥＭ農法を推進していた「新生派」に対抗するために「再建派」がＥＭ批判のために研究費を学会に渡したことが背後にあるとしています。これは当時の茅野充男学会会長も「学会にお金がないので申し出を受けました。ですが、ですからといって再建派には一切縛られていません。自由に研究させてもらうとの一札も取ってあります」と語っています。

斎藤貴男『カルト資本主義』には、土壌学の後藤逸男東京農業大学教授の批判があります。

比嘉先生の本も読みましたが、土壌学の基本もご存じなく、とても認められない、自然科学の対象にはなり得ないと思い、やるせなくなりました。

相手にもしたくなかったけれど、農家の方々が関心を示している以上、こういうものにきち

ん と反論するのも農大の仕事だと考え、取り組んだんです。

ＥＭはイカサマ。これが結論です。ＥＭボカシで収量が増えたという農家はありますが、それはボカシにする米ぬかなどの有機質肥料や、畑に残っていた前年までの化学肥料が効いたか、他の家の肥料が地下水で回ってきたまでのこと。化学肥料をやり過ぎていた農家が突然止めると、ちょうどよくなるんです。その証拠に、年を経るにしたがって収量が減っていったというケースばかり。こういう〝自然農法〟を、私は〝お余り農法〟と呼んでます。農薬や化学肥料まみれの近代農法が嫌だという気持ちはわかりますけど、日本の土壌は残念ながら、自然農法ができるほど肥沃じゃないんです。

(4) 北朝鮮はEMのモデル国家になるはずだった

ＥＭは農業資材として世界各国に進出しています。１９９０年代の終わりごろ、食料難に苦しむ朝鮮民主主義人民共和国（北朝鮮）は全国くまなく農業用資材としてＥＭを導入することにしました。比嘉氏もしばしば訪れて指導をし、「北朝鮮はＥＭモデル国家。21世紀には食料輸出国になる」と宣言していました。

手元にある『比嘉照夫のすべて』には、冒頭のカラーページ「写真で体験する　ＥＭ地球見聞録」に4ページ、本文の「比嘉照夫と旅する　ＥＭ地球見聞録」にその項目41ページの冒頭10ページが北朝鮮にあてられています。北朝鮮の国家主導ということですから、１９９９年には全耕地でＥＭ農法が実施される予定とあります。

現地特別報告では、「……教授に、早速、『世界でいちばん、ＥＭを多く活用している国はどこですか?』と聞いてみた。すると、深くうなずいた教授から『それは朝鮮民主主義人民共和国ですね』との答えが返ってきた。」としています。結びは、「食糧生産に関しては、ほぼ見通しがついたと関係者は共通に述べていた。仮に今年、再び自然災害によって増産にならなくても、ＥＭに土壌改良の効果があるとの認識は定着している。従って、農業分野に限定するならば、この約束（注：２０００年には食糧の増産が確実になる）は十分に実現可能に思える。……教授は、……工業分野でもＥＭを使うことで、環境と産業活動が調和する二十一世紀型の理想社会を実現させたいと語っていた。……もしかすると、二〇〇〇年のＥＭ宣言（注：世界に向けてEMを使っていると宣言）を機に、朝鮮民主主義人民共和国は、人類の未来を切り開く最先端のＥＭモデル国家に躍り出ているかもしれないのだ。

『朝鮮はＥＭのモデル国家になる』

比嘉教授の言葉どおり、そんな予感を抱かせる朝鮮訪問だった。」です。

比嘉氏も、その本の「比嘉照夫からのメッセージ」で、「北朝鮮の食料や健康問題もＥＭで根本から解決できる見通しとなりました。誰も信じてくれませんが数年以内には、国際社会に明らかになると思います。その時、初めてＥＭ技術の真価を世界が認めることになると思っています。」と述べていました。

ところが、北朝鮮の食糧の増産は確実にはならず、自給自足はおろか食糧の輸出国にもなりませんでした。

では、北朝鮮はＥＭ農法をやめてどうしているかを検索してみました。

北朝鮮ではＥＭといわず複合微生物という名称を使っています。

『朝鮮新報』（２００９年9月16日付）の記事によると、北朝鮮は、ＥＭ種菌の輸入をやめ、独自の複合微生物肥料を開発中と言います。

また、「朝鮮中央通信」（２０１４年４月21日付）の記事では、農作物の根の周辺で生息する有用微生物の中で活性の強い菌を選んで混合培養して４元素複合微生物肥料を開発中と言います。

つまり、北朝鮮は、比嘉氏の指導ではうまくいかなかったとみえ、ＥＭとは別路線を歩んでいるようです。

４　相次ぐＥＭへの懸念

⑴　河川や海へのＥＭ団子投入は水質悪化の恐れ

松永勝彦北大名誉教授は、河川が悪臭とヘドロ化する原因を考えると、米ぬかをふくむＥＭ団子の投入は、「何の効果もないばかりか、もっての外」と述べています（「ＥＭ団子の水環境への投げ込みは環境を悪化させる」『理科の探検（RikaTan）』誌２０１４年春号）。

悪臭、ヘドロ化の要因は河川水や湾の底層が無酸素になるからです。無酸素をつくり出す要因は家庭雑排水などにふくまれる有機物（砂糖、でんぷん、タンパク質、脂肪、酢酸、アルコールなど炭素が中心の物質）です。ＥＭ団子は米ぬかの有機物分解に酸素が消費されて、無酸素化を助長するのです。

ジャパンスケプティクス公開討論会「ＥＭについて考える」（２０１３年10月13日、会場：学習院中・高等科）で、海洋生態学が専門の飯島明子神田外語大学准教授は、「ＥＭは水質を浄化できるか」の中で、ＥＭ推進側が、ＥＭが「効く」としている有機汚濁について、とくに閉鎖水系における生態系と物質の動きを詳しく説明した上で、次のように結論づけていました。

> 有機汚濁水域で人間のできること
> ←
> ・有機物や窒素Ｎ・リンＰ負荷の削減。
> ・浅い水域の保全、および失われた浅い水域を取り戻すこと。
> ・持続可能な形での漁業。
> ◎ＥＭはこれらのどれにも寄与しないので不要です◎

それなのに、ＥＭを河川や湖、海に投入するような活動が、環境負荷を高めてしまう可能性が強いのに行われています。とくに7月20日の「海の日」には、「ＥＭの日・全国一斉ＥＭ団子活性液投入」というイベントで、目標は、全国でＥＭ団子を１００万個、ＥＭ活性液を１０００トンが投入とされています。

このイベントの参加者は、きっと環境をよくしたいという善意で参加されていることでしょう。２０１４年逗子市の海岸で行われたイベントでは投入後「ＥＭウォーター」という、後で紹介する「ＥＭ・Ｘ ＧＯＬＤ」という清涼飲料水をうすめた飲料水がふるまわれていました。

(2) ＥＭ活性液を使ったプール清掃

学校では、とくに主にＥＭ活性液を使ったプール清掃が行われています。ＥＭ関連のＵ―ネット（ＥＭの普及促進を行うＮＰＯ法人地球環境・共生ネットワーク）の集計によると２０１３年度で全国の小中学校の5・38パーセントにあたる１６１８校で行われたとのことです。

ＥＭ活性液中の乳酸菌や酵母が分泌した酵素によってプールの壁や底にこびりついた微生物のコロニーを分解している可能性はあります。しかし、酸性のＥＭ活性液を投入することで、プールに生活するトンボの幼虫ヤゴの生存が難しくなったり、結局は有機物を多くふくむ排水が河川の水質汚染につながることが考えられると呼吸発電氏が指摘しています（「ＥＭのニセ科学問題」『理科の探検（RikaTan）』誌２０１４年春号）。

(3) ＥＭで放射性物質除染ができるのか？

比嘉氏は、ＥＭは神様で万能ですからあらゆることに効果があるとしています。もちろん福島第一原子力発電所の事故による放射性物質汚染に対してもです。福島でＥＭ関連団体がＥＭ活性液をじゃんじゃんまく除染活動を始めました。

フジテレビスーパーニュースが２０１２年10月17日に「福島でまかれる〝ＥＭ菌〟検証！除染効果はあるのか」を放映。その文字起こしがされています。

私の文責でその内容の一部を紹介しましょう。

比嘉氏が「波動」という言葉を使って「ＥＭをまいていない隣の畑に影響を与える」と言っていることに注目しましょう。この「波動」は科学の「波動」とは別物です。

また、放射性セシウムにはセシウム１３７とセシウム１３４があり、福島事故で大気中に放出されたセシウムは１３７と１３４が１：１。それらによる線量は27：73。半減期はそれぞれ30年と2年。放射性セシウムの放射線は30年ではなく3年ほどで半減するはずです。日が経てば線量は減っていくことにも注意しましょう。

以下では省略しましたがＥＭをまいていたエムポリアム幼稚園では自然の減少と同じでした。また、ＥＭ側が宣伝している「作物（コマツナ）をＥＭで作った堆肥で育てると、作物の放射性セシウムが減る」という福島県農林水産部の試験結果も、番組内で福島県農林水産部・武田信敏副課長は「植物が取りこめる形のカリウムの量に要因があると言う風に考えております」と述べています。つまりＥＭ堆肥にふくまれているカリウム（主に堆肥原料由来）が作物に放射性セシウムが吸収されるのを防ぐ効果によるのです。

●がついた見出しは私がつけたものです。

●比嘉氏「EMをじゃんじゃんまけ！」

安藤キャスター：放射能汚染問題を抱える福島県で、放射性物質を減らすことが出来るという、ある微生物がまかれています。

石本アナウンサー：EM菌と呼ばれるその微生物の効果に疑問の声が上がる中、私たちは開発者を直撃しました。

……（下妻市講演会の映像）

EM菌開発者　比嘉照夫氏：EMをじゃんじゃんまけ！

●EMで放射性セシウムの半減期が短くなる？

ナレーター：比嘉氏はEM菌を土壌にまき続ければセシウムの量を減らすことが出来ると断言。では、その根拠は？

比嘉氏：この（EMの中の）光合成細菌がそういった（放射能の）エネルギーを使ってしまったんではないかと。その放射線がどんどん使われてしまうと、当然（放射性）物質は変換をして。だから30年かかって変換……

これ（放射線）がどんどん使われてしまうので（セシウムの）半減期が短くなったのではないかと。

ナレーター：菌の作用で放射性セシウムの半減期が短くなった？？？　比嘉氏はそのメカニズムについて、EM菌にふくまれる光合成細菌という微生物がセシウムから放射線を積極的に取り出し、セシウムその物を崩壊させているのではないかと説明しました。ところが専門家からは疑問の声が……
フジテレビ記者：光合成細菌が放射性物質そのものを減らす、なくすことはありえますか？
広島国際学院大学　佐々木健教授：それはありえませんね。放射能を減らすという能力は光合成細菌にはありません。
……
ナレーター：こう語るのは光合成細菌を40年間研究してきた広島国際学院大学の佐々木教授。佐々木教授によると、光合成細菌にはセシウムを吸収し集める能力はありますが、セシウムその物を減らすことは出来ないと言います。さらに市販されているEM菌を佐々木教授に顕微鏡で観察してもらうと……
佐々木健教授：ほとんど乳酸菌ですね、これは。これ見る限りでは光合成細菌がほとんど見えない状態ですね。
ナレーター：見てもらったEM菌の中にはセシウムを吸収する光合成細菌が見当たらないと言うのです。

●EMの除染効果に疑問の結果
ナレーター：畑の土には半減期が2年と、比較的短いセシウム134もふくまれるため、セシウムの減少する率が高くなったのではないかと指摘しました。
実際に確かめてみるため、私たちはEM菌関係者の指示に従って、EM菌をまいた畑とまいていない隣の畑の土を採取。

環境省から土壌などにふくまれる放射性物質の分析を依頼されている同位体研究所で、二つの土のセシウムの量を測定することにしました。その結果は……

同位体研究所所員：こちらの結果ですが、A区（EMをまいた畑）とB区（EMをまいていない畑）で。A区（EMをまいた畑）の方が放射能測定値が若干高い結果になりました。

（映像　EMをまいた畑：8，002　EMをまいていない畑：5，240）

ナレーター：なんとEM菌をまいた畑の方がセシウムの量が多いという結果に。

EM菌の除染効果に対して、いくつも浮かび上がった疑問点。

●EMをまいていない隣の畑に「波動」で影響
ナレーター：では飯舘村のブルーベリー畑で何もしていない畑より、EM菌をまいた畑のセシウム量が多かったという検証結果に関しては？
比嘉照夫氏：いやそれはやっぱり（EM菌の効果が）30mもかぶったりもしますからね、その影響だと……　間が25mから30m位だと、まかなかったところも一緒に十何パーセント（放射線量が）下がるんです。ですからそれは波動とか、そういう影響なんで……
ナレーター：突如現れた波動という言葉。まいていた畑のEM菌が発する波動なるものが、30m離れた畑のセシウムまで減少させていると言うのです。

●効果に疑問があってもまき続けられるEM
EM菌には放射性物質を減少させる力がある。最後までその主張を変えなかった比嘉氏。

あの日の原発事故以来、放射性物質による汚染に悩まされ続ける福島の住民たち。その効果に疑問の声が上がるなか、ＥＭ菌は今日もまき続けられているのです。
スタジオ・安藤キャスター：開発者の比嘉氏らは2日前に私どもにメールを送ってきて、このＥＭ菌には光合成細菌がふくまれていること、そしてそれがセシウムを減らす効果があるとの主張を改めて繰り返しました。

仮に光合成細菌がいたとしても、光合成細菌が光合成に使える電磁波の波長は可視光線レベルであり、ガンマ線などの電離放射線は使えません。

発酵や腐敗など、微生物が行えるのは原子の組み替えが起こる化学反応のレベルです。原子核に作用して半減期を短くすることなど不可能です。もし、そんな能力を持った微生物が発見されたら世紀の大発見です。

次は、サン興産業のウェブサイトからです。

もともとのＥＭの種菌をつくっているサン興産業は、ＥＭを神様に祭り上げてなんにでも効能があるという比嘉氏と違って、微生物がやれる限界を誠実に考えていると思えます。


〈ＥＭと放射能（除染）〉

比嘉教授はＥＭにより放射能の除染が可能だと主張しております。比嘉ＥＭでは可能かもしれませんが、弊社が確認出来るサイオンＥＭを含む他ＥＭでは不可能、又は可能性があっても誤差の範囲内の効果なのかと考えています。
……

今回の放射能除染の問題は原子転換のレベルでの話なのか、または微生物が何らかの方法で放射能を吸収し外部へ出さないのか等、色々な可能性を秘めていることは否定しません。しかし比嘉教授の発言のレベルを期待できるかは非常に疑問です。少なくともサイオンＥＭを製造している弊社としては、過大な期待を多くの皆様に持たすことはできません。

先に述べましたようにＥＭ又は微生物は、有機物又は一部重金属無機物を分解し無害化する事は可能であると考えます。しかしそれを拡大解釈し放射能除染が可能との発言は、学者としての品位を疑います。可能性の段階であればまず効果を確認、データで示し、再現性を実現し、効率、費用、その他を勘案して提案すべきです。可能性があるから検証・実証・実現は他科学者に任せるでは、あまりにも無責任です。しかしこれが今迄の比嘉教授の実像ではなかったでしょうか（以上、引用）。

(4)　ＥＭは１２００℃に加熱しても死滅しない!?

ＥＭは高温に熱しても死滅しないと言います。最初は７００℃と述べていました。今は、比嘉氏が直接言及したのではありませんが、２０００℃でもと言われています（大阪日日新聞「有用微生物を活用環境教育にも一役」、２０１２年６月）。ここでは比嘉氏が述べている最高温度の１２

００℃にしておきましょう。

専門家から「ほとんど見えない」と言われた光合成細菌ですが、これはEMとしてはいないと困ります。EMの中心的な役割を持っているとされているからです。

比嘉氏は、光合成細菌は、粘土に混ぜて１２００℃で焼いてセラミックスにしても、そのセラミックスから光合成細菌が再現できるというのです。つまり１２００℃でも生命情報を保持し、「蘇生」（死んでも復活する）現象を起こすと言います。

細菌の中には、熱に強いものがいるのは確かです。それを好熱菌と言います。好熱菌は至適生育温度が45℃以上、あるいは生育限界温度が55℃以上の微生物のこと、またはその総称です。とくに至適生育温度が80℃以上のものを超好熱菌と呼びます。それでも２００８年現在で知られているチャンピオンは、耐熱温度が１２２℃ということです（独立行政法人海洋研究開発機構・極限環境生物圏研究センター地殻内微生物研究プログラムの高井研プログラムディレクターがインド洋の深海熱水環境から分離された超好熱メタン菌が再現可能な試験として、１２２℃までの高温下でも増殖可能であることを発見）。胞子の状態なら、３００℃で30分までの耐熱記録があるようです（〝クマムシvs極限環境微生物〟地上最強生物対決表）。

ＥＭはそこらへんにいる微生物の共生体と言います。本当に超好熱菌の１２２℃を超えているなら、これも世紀の大発見レベルの話です。しかも、１０００℃を超えているのです。しかし、検証可能な形での論文は存在しません。ただ比嘉氏が言っているだけなのです。

私は、片瀬久美子さんの「おそらくは、（インチキをするつもりでないならば）加熱処理後のE

M生存試験での操作が不完全で、もともとEMセラミックス中にいなかった微生物が後から混入（コンタミ）したのではないかと思われます。EMの耐熱性についても、第三者である専門家の検証を受けた方が良いでしょう」という指摘（「EM商品のニセ科学性について」『理科の探検（RikaTan）』誌2015年春号）に賛成です。

(5) EM盲信の危険――EMで「消毒」でサルモネラ菌の検出率増加の事例

EMで「消毒」していてサルモネラ菌の検出率が増えてしまった養鶏場があります。徳島家畜保健衛生所が、サルモネラ菌の検出率が年々増加していた養鶏場を調べると、「消毒薬は使用せず、EMを散布しサルモネラを競合排除している」との回答。そこで、EMの使用を止めて1パーセント消石灰水（一般的な消毒薬）による消毒方法に切り替える指導をしたところ、サルモネラ菌検出率が10・2パーセント→4・8パーセントに減少したという結果が報告されています（徳島家畜保健衛生所　大久保喜美「鶏卵衛生事業におけるサルモネラ検出率の推移と疫学」2012年）。

このケースは、EMを消毒目的で使用していたらサルモネラ菌の検出率が増加していったので、比嘉氏の「EMは効くまで使え」という指導にそのまま従っていたら、サルモネラ菌の汚染はもっと酷（ひど）くなっていたことでしょう。

サルモネラ菌食中毒になると、下痢、腹痛、嘔吐、発熱を主とした急性胃腸炎を起こします。小さな子ども（特に1歳未満の乳児）、老人、免疫が弱まった人などの場合は重症となりやすいです。

比嘉氏は、ＭＲＳＡ（マーサ＝メチシリン耐性黄色ブドウ球菌）によって起こる院内感染はＥＭの散布で抑制できる、病原性大腸菌も十中八九は繁殖を防ぐことができると言います。それが本当ならサルモネラ菌が増殖することもなかったでしょう。

(6)　ＥＭを飲むということ

開発者の比嘉氏がＥＭ・Ｘ時代から農業資材のＥＭ１号を併用して飲んでいると著書で紹介していましたので、真似（まね）して飲んでいる人も多いようです。比嘉氏は自己責任でと言いますが、先に紹介したように、生きているＥＭを噴霧してもサルモネラ菌を抑制できない事例がありますし、サイオンＥＭがいう「悪い活性液」になっている恐れもあります。食中毒菌が混入して問題が起こる可能性があります。食中毒菌が混ざっているかどうかは、腐敗臭などでは判断できません。

往々にしてこのようなおかしなものを飲食して体調が悪くなると、「効果のある証拠で、それは体の毒素が出ている時期」などと言われて使用を続けてしまう場合があります。これを、いわゆる「好転反応」と言っています。健康食品・サプリメントでこの「好転反応」という表現自体が薬事法違反にあたります。「好転反応」に科学的根拠はありません。好転反応と信じて、使用中止や医療機関受診などの「適切な対応」が遅れれば、健康被害が拡大してしまうことも考えられます。

実際、ネットで「ＥＭ菌、好転反応、飲用、飲む」などで検索してみましょう。ＥＭには好転反応がつきものなのかとも思えてしまいます。発熱や発疹など軽いものから重大なものまでいろいろ見つかるからです。

5　EMは波動系ニセ科学――ニセ科学の「波動」とは?

(1)　科学の「波動」とニセ科学の「波動」

科学用語、物理学用語としての「波動」は、「空間や物体の一部に加えられた状態の変化が、次々に周囲の部分にある速さで伝わっていく現象」です。水面に小石を投げ入れたり、地震が伝わったり、音波や電波も「波動」です。

それに対し、ニセ科学の「波動」は、科学、物理学の「波動」の意味も断片的に使いますが、基本的には別物です。ニセ科学の「波動」は、あらゆる物が放射しているとされる何物かであり、霊気のようなものです。

ニセ科学側からは、あらゆるものが、たとえば水や言葉も微生物も「波動」を発しているとしています。あらゆるものが、「波動」を発していると同時に、他からの「波動」と共鳴するとしています。「波動」も「共鳴」も科学、物理学用語にありますから、その連想もあって、科学に弱い人には、科学的な雰囲気を醸し出すニセ科学の代表例になるのです。

(2) EMの効果もニセ科学の「波動」で説明

比嘉氏もニセ科学的な「波動」の考えの持ち主です。比嘉氏は、「気功や除霊なども波動という観点から科学的な説明ができるようになってきています。ともかく、波動というものが人体のみならずあらゆる物質に大きな影響を及ぼしていることは、いまや否定することはできません」「波動、すなわち共鳴磁場は、現在MRAやLFAなどの測定器によって測定することができます」と述べています（『地球を救う大変革3 世界に広がるEM技術』サンマーク出版、1997年）。

比嘉氏は「EMは重力波と想定される波動を出している」と述べています（EM情報室 WEBマガジン エコピュア 連載 新・夢に生きる［5］）。その「重力波」は故関英男氏が主張していたもので、科学の「重力波」とは違います。科学の「重力波」は、質量をもった物体が加速度運動することで放射されるのですが、直接観測がなされていないので、その挑戦が続けられています。関英男氏は電波工学で業績をあげましたが、オカルト的な主張がとても多い人でした。たとえば「太陽の表面温度は26度で、動植物なら生存できる」「宇宙には、宇宙を創造した神のような存在がいる宇宙センターがあり、そこから『重力波』が光速を超える速さで発信され、渦を巻き始め、集り方や周波数によって電子になり、中性子になり、陽子に、分子になり、そして物質になる」などと主張していました（『生命と宇宙』〈ファーブル館、1998年〉、『心は宇宙の鏡』〈佐々木の将人との共著、成星出版、2000年〉）。

科学の「重力波」が未だ直接的に検出されていないのをいいことに勝手に言っているだけで

す。

(3) EMの拠りどころの一つは波動測定器

簡単に言ってしまうとニセ科学の波動は妄想の類いです。それなのにその波動をはかれるとするMRAなどの波動測定器という機器があります。

波動測定器は、物質の持つ共鳴固有波動情報をはかれるとうたいます。どうやら測定者自身の掌（てのひら）の皮膚表面の電気抵抗をはかる装置であって、要するに、嘘発見器の類いです。実際、熟練した測定者でないと正しい数値が出ないと言われていますが、それは測定者が好きな数値を出せるものだからです。

そんな波動測定器ではかって効果があると出たと言っているのです。

比嘉氏によればEMが生成した抗酸化物質と連動した抗酸化波動で、すべてのものをプラスに転換する力を持っているとされています（『地球を救う大変革3　世界に広がるEM技術』）。

先に紹介したフジテレビスーパーニュースの中で比嘉氏がEMをまいていない隣の畑のほうが放射性セシウムが下がっているのを「波動」で説明しようとするのは、比嘉氏が根っからのニセ科学波動の考えの持ち主であるからだと思います。

(4) EM商品はニセ科学波動で説明

EMを焼き込んだというEMセラミックスの商品に健康ブレスレット「EMセラミックブレス

レット」があります。その商品の説明は「ＥＭの波動が伝わってくる」ということです。シール状の「Ｅセラシール」の説明は「周辺機器に貼りつけるだけで、悪い波動に共鳴しないよう整える働き」だということです。

ＥＭを焼き込んだプレートの「スペースメイト」は、ＥＭの非イオン化作用で電気を逃がすので電磁波対策になるという説明をしています。

比嘉氏は、北海道の講演で〝携帯電話に「Ｅセラシール」を貼ると頭が良くなる。「スペースメイト」を枕の下に置くと認知症予防になり、初期症状なら完治する〟と話したようです（廣瀬英雄「ＥＭ生活セミナーに参加して」『ＥＭほっかいどう　２０１４年9月　第74号』）。

6　ＥＭの効能の根拠は波動測定器の測定やオーリングテストの結果

(1)　ＥＭ・Ｘという清涼飲料水

ＥＭ商品の三本柱は、ＥＭとＥＭ・Ｘ（今はＥＭ・Ｘ ＧＯＬＤ）とＥＭセラミックス。

ＥＭ・Ｘは、（有）熱帯資源植物研究所（現在は株式会社）が１９９４年から製造を開始した清涼飲料水です。沖縄で伝統的に食べられている活力果実・青パパイヤと、玄米・コンブ・モズクと米ぬかをＥＭで発酵処理してから、ＥＭは加熱殺菌し、ＥＭが産生する物質を抽出・精製した液体です。そのままで、または薄めたり、他の飲食物に混ぜたりして利用されます。うたい文句は「抗酸化力が極めて強い」ということです。

比嘉氏は「タイのエイズボランティア活動で劇的な成果が上がっており、人びとは『エイズで死ぬ』という不安から解放されつつあ」る、「ガンはもとより多くの難病の劇的な治癒例が多数出てき」た、チェルノブイリ原子力発電所の事故のときに「ベラルーシでは、原爆症（白血病、甲状腺異常）にＥＭ・Ｘを用いて著効が認めら」れ、「放射能汚染地帯での農業も、ＥＭを使えば安全な作物ができることが実証され」たと述べています。

工業用でも、「自動車にＥＭ・Ｘを使うと走行距離が大幅に伸び」る、「車がさびつかなくなり、静電気が著しく少なくなるため、汚れずピカピカになり、オイルの交換も不要で、排気ガスも極端にクリーンにな」る、電化製品に使うと、「大幅な節電効果が期待でき、深刻になりつつある電磁波対策にも、著しい効果が確認されてい」るなど、あらゆる分野での応用が期待されているとしています。

「ＥＭＸのパワーを転写した衣類は、アトピー、アレルギーの人に大好評」だと言います（以上の比嘉氏の言葉は『地球を救う大変革３　世界に広がるＥＭ技術』から引用）。ＥＭ・Ｘは１本あればそれをもとにその波動とやらを転写して働かせればいいということなのでしょう。

比嘉氏が述べていることが本当なら、どれをとっても素晴らしい効能と言えますが、客観的に第三者の検証を受けていません。話だけなのです。ＥＭ・Ｘ時代のこれらの比嘉氏の説明は科学的な根拠があるわけではありません。

ＥＭやＥＭ・Ｘを教育界に広めたＴＯＳＳという団体があります（第３章参照）。ＴＯＳＳの代表の向山洋一氏は、有害な微生物をバイキンマン、ＥＭをアンパンマンになぞらえて、「ＥＭＸは超能力を持っている」と、子どもたちに教えています。

(2) ＥＭ・ＸからＥＭ・Ｘ ＧＯＬＤへ

ところが２００８年３月、熱帯資源植物研究所とのＥＭ・Ｘの商標契約切れに伴い、このＥＭ・Ｘは、現在は、同じ原料と製法で「萬寿のしずく」として販売されています。（株）ＥＭ研究機構は、ＥＭ・Ｘの商標を使って、「ＥＭ・Ｘ ＧＯＬＤ」なる清涼飲料水の販売を開始したのです。ＥＭ・Ｘ ＧＯＬＤの原料は、ＥＭ・Ｘ（萬寿のしずく）と大きく異なります。糖蜜、酵母エキス、サンゴカルシウム、粗製海水塩化マグネシウム（ニガリ）です。糖蜜は、サトウキビから砂糖を精製するときにできる副産物で、糖分以外の成分も含んだ粘状で黒褐色の液体、ＥＭのエサに用います。酵母エキスは、ビール酵母を自己消化させたり、酵素や酸で加水分解したりすることによって抽出したエキスで、簡単な化学加工をしてできたものなので食品添加物ではなく食品扱いです。

ＥＭ・Ｘ（萬寿のしずく）のほうは、２００８年12月に青パパイヤ他の原材料が発酵する過程で生まれた色素成分ＰＡＣが抗酸化能の有効性が示唆されたという臨床試験の結果が発表されています（『琉球新報』２００８年12月23日付）。しかし、ＥＭ・Ｘ ＧＯＬＤのほうは青パパイヤなどを原料にしていませんから、この結果はあてはまりません。私は、ＥＭ・Ｘ（萬寿のしずく）と比べて、原料の質が大きく低下したとの感想を持ちましたがいかがでしょうか。

(3) EM・X GOLDの効能は波動測定とオーリングテスト

ＥＭ・Ｘ ＧＯＬＤという清涼飲料水は、５００ミリリットル４５００円。またこれを薄めたＥＭウォーターがあります（ＥＭ・Ｘ ＧＯＬＤ10ミリリットルを薄めて５００ミリリットルに）。これらは清涼飲料水で、ＥＭは殺菌されて入っていません。「多種多様な生理活性物質も含まれています」とされていますが、公表されている成分は、１００ミリリットルあたり、エネルギー０キロカロリー　タンパク質０・０グラム　脂質０・０グラム　炭水化物０・０グラム　ナトリウム20ミリグラムです。単なる清涼飲料水ですし、公表成分を見ると「薄い塩水」（食塩水相当で０・05％）です。

比嘉氏は、ＥＭ・Ｘ ＧＯＬＤは、「ゴールドの名を冠するにふさわしく、オーリングや波動測定の結果からこれまでのＥＭ・Ｘの５倍以上、加熱（80℃以上）すると10倍くらいの効果になる」と述べています（ＥＭ情報室　ＷＥＢマガジン　エコピュア　連載　新・夢に生きる［８］）。

「オーリング」とは、「オーリングテスト（Ｏリングテスト）」のことで、患者が手の指で輪（オーリング）を作り、診断者も指で輪を作って患者の指の輪を引っ張り、輪が離れるかどうかで診断する代替医療の一方法です。このとき、患者の体の異常がある部分を触ったり、患者の空いたほうの手で有害な薬や食物を持つと、患者の指の力が弱まりオーリングが開く、とされます。「新・流れ武芸者のつぶやき」ブログ主は、武術の観点からその仕組みを解明しています。

(http://saitamagyoda.blog87.fc2.com/blog-entry-194.html)

このOリング・テスト、武術とくに古流柔術のたしなみのある人なら、すぐにピンとくるのではないだろうか？

ようは手解（てほどき）系の技とまったく同じ原理なのだ。

輪が解ける場合は、親指と人差し指の接触点を水平方向に引っ張っているはずだ。こうすると、どんなに指に力が入っていても、簡単に輪は解ける。

逆に輪が解けない場合は、親指と人差し指の接触点ではない部分を引っ張っているか、あるいは接触点でも水平方向ではなく、上下いずれかの鉛直方向に角度をかけて引っ張っているはず。こうすると、ほとんど力を入れなくても、指で作った輪が解けることはない。

初歩の柔術で教わる、手首などのはずし技と同じなのである。

この場合、検査をする者自身が自己暗示にかかっているので、被験者が左手に載せているものを見て無意識のうちに、「左手に載っているのがタバコですから（健康に悪そうなので）、相手の指をはずしやすい方へ引っ張る」、あるいは、「左手に載っているのが有機野菜ですから（健康に良さそうなので）、相手の指をはずしにくい方へ引っ張る」などと、選択的な動きを行ってしまうのである。

オーリングテストには、症例の羅列はあっても信頼性がある医学的根拠はありません。オカルト的な代替医療だと見られています。

結局、比嘉氏はＥＭ・Ｘ ＧＯＬＤの抗酸化能とやらを波動測定器やオーリングテストというオカルト的な方法の結果などでうたっているだけなのです。比嘉氏は、本当にオカルトまみれだと思わざるをえません。

(4) 萬寿のしずくとＥＭ・Ｘ ＧＯＬＤの酸化還元電位は変わらない

比嘉氏がＥＭ・Ｘ ＧＯＬＤは萬寿のしずくよりもずっと抗酸化作用などの効果が高いというものですから、萬寿のしずく公式ネットショップの「お客様の声」に関連質問が寄せられているようです。

「萬寿のしずくは、他社ＥＭ飲料の５分の１の効果しかないのですか？」

「他社ＥＭ飲料は萬寿のしずく（ＥＭ・Ｘ）の５倍・10倍効果があると聞きました。本当ですか？ また10倍に薄めても効果は変わらないと言っています。本当ですか？」

科学として抗酸化作用を見るとしたら、波動測定器やオーリングテストというオカルト的な方法ではわかりません。酸化還元電位をはかる必要があります。

次は萬寿のしずく公式ネットショップの「お客様の声」の回答の一部です。

喜屋武昌健：他社ＥＭ飲料の効果は、ＥＭ・Ｘ（＝萬寿のしずく）の５倍、80℃に熱すると10〜15倍の効果があるとの主張が他社ＥＭ飲料の販売に携わる一部の皆様によりなされています。その根拠とされる両製品の酸化還元電位の数値の差異について、当社は外部の検査機関にその測定を依頼しましたが、喧伝されている数値の差異を確認することができませんでした。当社はこの結果を踏まえ、客観的に確認可能な科学的データの提示を他社ＥＭ飲料の製造元に求めておりますが、妥当な回答を頂くことができませんでした。（２０１０年2月10日現在）

他社ＥＭ飲料の効果は、ＥＭ・Ｘ（＝萬寿のしずく）の5倍、80℃に熱すると10～15倍の効果がある。また、１００㎖を10倍にして１０００㎖にして目安量の10㎖を飲むことも、同じ効果と言っています。その根拠とされる科学的根拠について、当社は外部の検査機関にその測定を依頼しましたが、喧伝されている数値の差異を確認することはできませんでした。

真実と科学に基づく事業活動は、お客様の大切な健康を預かっている弊社の大きな責任であると考えます。弊社は、今後もその姿勢を堅持し、萬寿のしずくの効果を科学的に説明するためのエビデンスの蓄積に努めて参ります。

７　ＥＭのキーワード「抗酸化作用」

(1)　活性酸素と抗酸化作用

ＥＭのキーワードは抗酸化作用です。そこで、まず基本的な話をしておくことにしましょう。

健康食品・サプリの効能効果では、抗酸化作用、抗酸化性という言葉がよく出てきます。抗酸化作用とは、体内に生じる活性酸素をつぶす働きです。

私たちが毎日の生活のなかで目にする化学変化には、酸素の関係しているものがたくさんあります。空気中で物が燃えたり、鉄がさびるというのは、その代表格です。酸化という化学変化によって起きています。

その酸素の一部が体内で活性酸素になります。活性酸素は、化学用語として、反応性の高い酸素分子または酸素原子を指しています。しかし、最近は、これらに加えて、酸素原子をふくんでいる低分子化合物のなかで、反応性の高いさまざまな物質を活性酸素と呼んでいます。スーパーオキシド、過酸化水素、ヒドロキシラジカル、一重項酸素、脂質ラジカルや過酸化脂質とそのラジカルなどいろいろな活性酸素があります。

活性酸素でもっとも心配されているのは、過剰な活性酸素が、細胞膜の脂質と反応して、それを変質させることです。活性酸素は、老化現象の重大な原因のひとつになるのではないかということです。また、遺伝子と反応して、遺伝子発現機能が攪乱(かくらん)され、発がんに至ることもあると言われています。

ただし、私たちの体は、活性酸素の毒作用に対して、かなりの防御機構をもっています。活性酸素を掃除する掃除人(スカベンジャー)となる酵素や化合物が働いています。

一方で、活性酸素にはプラス面もあります。体内に病原菌、カビ、ウイルスが侵入したときに、活性酸素は免疫細胞などで積極的につくられ、病原菌などを殺すなど有用な役目をもっています。

つまり、活性酸素は、まったく無くてもよいというものではなく、マイナスとプラスの両面があるのです。

活性酸素を消す物質は、抗酸化（＝酸化の反対の還元）という性質をもったものです。たとえば、「お茶が体によい」と言われるのは、お茶のなかのカテキンというポリフェノールに、活性酸素を消す働きがあることが理由のひとつです。

(2)　EMの抗酸化作用は疑問が多い

「活性酸素除去」「抗酸化」「還元作用」などを強調した食品や飲料が販売されていますが、それらは単に活性酸素を悪役に仕立て上げる手法で宣伝されています。

これらの食品や飲料が、体内で有益に働いているかどうかははっきりしていません。

もちろんＥＭの場合も、はっきりしていません。しかも、その抗酸化の能力は、波動測定器やオーリングテストというオカルト的な方法の結果でしかありませんでした。

ＥＭの抗酸化作用の証拠として、ＥＭで鉄をさびさせない、あるいはさびを落とすことを写真で示しているサイトがあります。水とＥＭを薄めた液に鉄くぎを入れて比べています。これはＥＭの液が酸性だからでしょう。酸性の液に鉄は溶けます。表面から鉄が溶出しているからさびにくいのです。またさび（簡単に言うと金属の酸化物）は酸性の液に溶けます。つまり、ここでの反応は、酸化に抗している反応ではなく、酸に金属や金属酸化物が溶けるという反応なのです。

どうも比嘉氏は酸化と酸性化を同じ働きと考えているようです。「土壌のプラスイオンの吸着阻害は、土壌の酸性化である。化学肥料や農薬や除草剤の大半のものが強力な酸化剤である」（デジタルニューディール　甦れ！食と健康と地球環境　第50回）など、強力な酸化剤で酸性化されると思っているようなのです。酸化・還元と酸性・アルカリ性は別だということは中学校理科で学ぶことです。

このサイトは、「原素」「プラスイオン」「マイナスイオン」といった科学用語にはない言葉がたくさん出てきます。中・高理科で学ぶ科学用語である「元素」「陽イオン」「陰イオン」を間違えたのか、「シントロピー」（エントロピーの対極を説明する言葉だという）などのように比嘉氏がよくやるような珍奇な言葉で新しい意味を持たせたものなのかはわかりません。私には、比嘉氏が中学校理科レベルを理解していないのではないかと思えます。

「EMを使うと、セシウムが作物に吸収されないのは、セシウムがイオンから金属に戻ることが起こった、塩分除去をしない水田で塩害が起こらなかったのは塩分が化学反応を起こさなかったからだ」と比嘉氏は言います。その理由は、EMは、抗酸化作用の他に「非イオン化作用」をもつからだというのです。非イオン化作用はマイナスイオン効果という括弧書きもありました。

「破壊は、物質が酸化によってエネルギーを失ってイオン化し、有害な波動を出す現象である」「EMは酸化破壊を防ぐだけでなく、すでに酸化したものを正常に戻す」「酸化還元反応を阻止するばかりか酸化物やイオン化した物質を分子状に戻す」というのです。用語は科学用語を使っていても、その中身はもう、普通の科学ではありません。

ＥＭを構成する微生物にしても、私たちにしても、生きているときに体内でさまざまな化学反応が進行しています。酸とアルカリの反応もあるし、酸化還元反応もあります。ＥＭがもし本当に非イオン化作用をもっていて、そのような反応に関わるイオンをイオンでなくすことができたとしたら、通常の科学的な理解からすると、待ち受けているのは死であると考えられます。

８　トンデモは連鎖する

「幻影随想」ブログの黒影さんが「ニセ科学の総合商社としてのＥＭ」という記事を書いています。その見出しが「トンデモは連鎖する」です。

これは数多（あまた）のトンデモ、疑似科学を観測した上での経験則に過ぎないが、自分の論理に不誠実な主張者ほど、節操無く自分の主張のつっかえ棒となる何かを手当たり次第に取り込もうとする傾向がある。まるで拾った羽で自分を飾り立てた童話のカラスのように。

もちろん取り込むものがアレなので、ニセブランドで全身固める様な滑稽な結果にしかならない訳だが

その上で「ニセブランドで全身固めた典型的なニセ科学」の一例としてＥＭを取り上げています。私は、ＥＭについてここまで書いてきましたが、実は、まだまだ書き足りない気持ちです。

「ある種の微生物は元素転換能力がある（わずかなエネルギーである元素からまったく別の元素をつくりだせる）。ＥＭで常温核融合を起こし、原子転換」「質量保存やエネルギーの保存等々を含め伝統的な物理学が根底からくつがえされるという科学教という宗教の崩壊」「ＥＭは放射能も整流し、使えるエネルギーに変換する力がある」「ＥＭで水のクラスターが小さくなる」「ＥＭを土地に散布してゼロ磁場がつくれる」「ＥＭ入り容器の上のウイルスは失活する」「ＥＭで水を活性化して水が本来の美しい結晶になる」などなど。

こうしたニセ科学にまみれたトンデモＥＭが、国内では学校や環境活動の善意の人びとの心に忍び込み、下からのボランティア運動になっています。そこに地方自治体の税金が補助されたりもしています。また政治の世界では国会議員や内閣に支持者をたくさん持っています。海外でも活発に活動をくり広げています。

ＥＭを頭から信じている人たちは別として、普通の科学リテラシーをもっている人たちは、こうしたＥＭを批判せざるをえないでしょう。しかし、批判者らに対して、自宅や所属機関に押しかけて圧力をかけ、批判封じの働きかけをするとともに、裁判もちらつかせたり、実際に言いがかりのような裁判を起こしたりしているのがＥＭ推進側なのです。私がニセ科学の中でももっとも危険を感じる所以（ゆえん）です。

第2章　大手企業も次々にマイナスイオン商品

1　科学のイオンと科学用語にない「マイナスイオン」

(1)　科学のイオンとマイナスイオン

イオンは、電気をもった原子や原子の集団です。

原子は、陽子と中性子からなる原子核とそのまわりの電子からできています。陽子はプラスの電気をもっていて、電子はマイナスの電気をもっています。中性子は電気をもっていません。陽子1個のもっているプラスの電気の量と電子1個のもっているマイナスの電気の量は、合わせるとちょうど電気の量が0になってしまいます。原子では、陽子の数と電子の数が同じなので、原子全体としては電気をもっていない状態、つまり電気的に中性の状態になっています。

原子には、マイナスの電気をもった電子を他に与えたり、他から受けとったりするものがあります。

たとえば、ナトリウム原子は、電子1個を他へ与えようとする性質があります。電子を受けと

原子とイオン

ナトリウム原子とナトリウムイオン
塩素原子と塩化物イオン

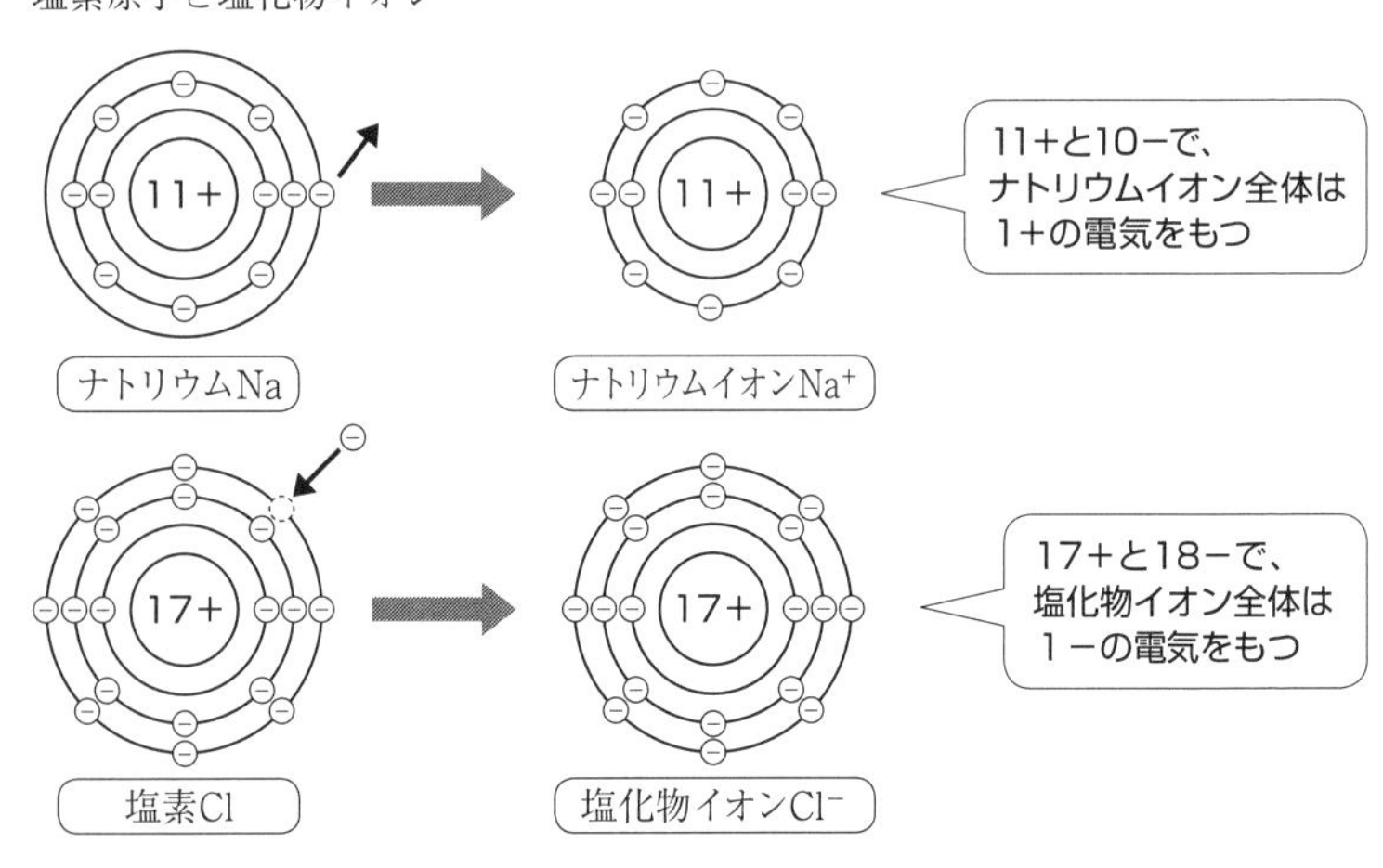

ろうとする相手があるとすぐ電子を与えてしまうのです。その結果、ナトリウム原子は、電子1個を失ったぶんだけ＋の電気をもつようになります。それがナトリウムイオンです。

また、塩素原子は、電子1個を他からもらおうとする性質があるので、電子を出してくれる相手があるとすぐ電子1個を受けとってしまいます。その結果、塩素原子は、電子1個を受けとった分だけマイナスの電気をもつようになります。それが塩化物イオンです。

このように、原子が電子を他に与えると、与えた電子の数に等しいプラス電気をもった陽イオンとなり、逆に原子が電子を受けとると、受けとった電子の数に等しいマイナス電気をもった陰イオンとなるのです。

いっぱんに金属の原子は、電子を他に与えて、プラス電気をもった原子、つまり陽イオンになりやすいです。非金属原子は、電子を他の原子から受けとって、マイナス電気をもった原子、つまり陰イオンになりやすいです。

マイナスイオンは、まず化学で学ぶ「陰イオン」とは別物です。陰イオンは英語でマイナスイオンではなくネガティブイオンと呼びます。

「イオン」は科学の言葉ですが、マイナスイオンはそうではないということです。

(2) マイナスイオンに近いのは大気科学の「負イオン」

科学を広く眺めてみると、マイナスイオンのイメージにもっとも近いのは大気科学の「負イオン」かもしれません。「滝ではマイナスイオンがたくさん発生している」と言うときのマイナスイオンは、この「負イオン」です。

１９１０年ごろ、ドイツの物理学者フィリップ・レナルト（陰極線＝電子線の研究でノーベル賞を受賞。レナードとも呼ばれる）は、水滴が分割されるときに、大きい方の水滴はプラスの電気を帯びて、小さい方はマイナスの電気を帯びるので、ただよっている滝のしぶきの微小な水滴がマイナスに帯電していることを発見しました。人工的につくった水滴も同様であることを確認したので、この現象はレナルト効果（レナード効果）と呼ばれます。レナルトは、その微小水滴が健康によいとは言いませんでしたが、その大気「負イオン」が、いつの間にかマイナスイオンと呼ばれるようになり、健康によいものだということになってしまったようなのです。

(3) マイナスイオンが出る？

マイナスイオンの正体もはっきりしません。多くのマイナスイオンを出すという機器は、負の高い電圧（数千ボルト）をかけて電子を飛び出させて（コロナ放電をさせて）、その電子を酸素分子や水分子にくっつけるというものです。イメージとして、機器の発生口から電子がくっついて負の電気をもった何らかの微粒子が出ているという感じです。そうして出た負の電気をもった何らかの微粒子はすぐ負の電気は空気中で中和されてしまいます。

他にトルマリンという鉱物や磁石を水に接触させるとマイナスイオンが出ると主張するマイナスイオン商品の業者もいます。これらは負の電気をもった何らかの微粒子のような実体がありません。なんにも出ていないのに出ている雰囲気を醸し出しているだけです。

2 マイナスイオンブームのピークは2002年

「納豆ダイエット」で捏造（ねつぞう）が発覚して大問題になったテレビ番組「発掘！　あるある大事典」（フジテレビ系）がマイナスイオンブームの火付け役でした。

1999年から2002年にかけてマイナスイオンの特集番組で、マイナスイオンの驚くべき効能をうたったのです。プラスイオンを吸うと心身の状態が悪くなるのに対し、マイナスイオンは、空気を浄化し、吸えば気持ちのいらいらがなくなり、ドロドロ血ではなくなり、アトピーにも高血圧などにも効く、つまり健康によい、としたのです。

番組の説明は、もちろん、科学的な根拠のないニセ科学ですが、それでもテレビの影響は大きく、マイナスイオンは流行語となりました。

マイナスイオンが出るとされる、さまざまな商品が出現しました。大手家電メーカーも宣伝文句にマイナスイオンをうたう商品を多く出し、日立はマイナスイオンを発生させるパソコンまで販売しました。大手企業も、エアコン、冷蔵庫などの白物家電の差別化を図るのに利用したのです。その他、マッサージ器、ドライヤーや衣類・タオルなどまで広い範囲の商品がマイナスイオン発生をうたいました。

ゲルマニウムやチタンのブレスレットやネックレスがマイナスイオンが出るから健康によいという宣伝もなされました。鉱物のトルマリン入りの商品やトルマリンを使った水や磁石を使った水の処理器械もマイナスイオンをうたいました。

当時、テレビ番組などでマイナスイオンを宣伝した中心者は、堀口昇氏と山野井昇氏と菅原明子氏の３人でした。堀口氏は鍼灸師（しんきゅうし）出身で、「電圧をかけると軽石の中で電子が激しい運動を起こし、コードの先の極板から空気中に出るさいに、水分子などと結合してマイナスイオンになる」という治療器をつくり、１台１３６万５０００円で約７０００台を売り上げたと言います（毎日新聞「理系白書07：第1部　科学と非科学／４　効果未確認のマイナスイオン」）。山野井氏は東京大学医学部の教務職員（その後助手）でした。菅原氏は健康関係の民間の研究家で、２００２年12月～08年１月ＮＨＫ経営委員会委員でした。

3　マイナスイオン商品の効能に根拠なし

(1)　マイナスイオン商品に警鐘

マイナスイオンの驚くべき効能も根拠はありませんでした。

２００３年８月に、マイナスイオンの専門家としてマスコミに頻繁に登場していた堀口昇氏が経営する会社が製造するマイナスイオン器具が薬事法違反で営業停止処分を受けました。

また、同年９月、マイナスイオンの効能について相談を寄せられた国民生活センターは「マイナスイオンを謳(うた)った商品の実態―消費者及び事業者へのアンケート、学識経験者の意見を踏まえて―」という報告書を出し、「事業者は、身体などへの効果を謳うものの因果関係は検証しないまま、製造していることも伺える等の問題がある」と指摘しました。

同年11月には、改正された景品表示法（正式名称：不当景品類及び不当表示防止法）が施行されました。これで商品・サービスの効果、性能に関する表示の「合理的な根拠を示す資料」が要求できるようになったのです。

２００６年11月、東京都生活文化局は「マイナスイオンの効果を謳う商品」のインターネット広告８件を調査し、マイナスイオン発生量や商品の効果・性能の「合理的な根拠を示す資料」を提出させて検証し、客観的実証が認められないとして、業者に対しては景品表示法を守るように指導しました。

こうして、マイナスイオンなるものの実体がはっきりしない、健康によい証拠はない、ものによっては有害なオゾンを発生するものもある、などの批判で、ひと頃のブームは終わっていきました。

(2)「マイナスイオンは健康によい」というイメージ

マイナスイオンへの批判が人びとに知られたかというとそうではありません。マイナスイオンのニセ科学性を知らない人のほうが圧倒的に多いことでしょう。

大手企業のマイナスイオン商品群の宣伝やマイナスイオンは健康によい番組の内容が、森と滝のイメージと相まって、人びとの心にしみ込んでいたのです。

マイナスイオンを使わないで「○○イオン」と別の名をつけても、マイナスイオンを連想してくれるようにもなっています。

もうマイナスイオンの効能をうたわなくても、マイナスイオンや「○○イオン」という言葉だけで勝手に「健康によい」というイメージをもってくれるようになっているのです。「マイナスイオン＝善」という刷り込みができてしまった状況があります。ですから、マイナスイオンは、インチキ商品などの購買意欲を誘うのにいまだに利用されています。

(3) マイナスイオンの数は空気分子数と比べると微々たるもの

マイナスイオン商品には、マイナスイオン測定器なるもので測定したという1立方センチメートルあたり数十万個などという数値がよくついています。

しかし、空気の分子数は、1立方センチメートルあたり約2690京個もあるのです。それと比べると本当に微々たる数値であることにも留意しましょう。

4 マイナスイオンは波動と連動する

実体のないマイナスイオンはニセ科学の「波動」につながります。

ニセ科学信奉者は、よく〝あらゆるものが、たとえば水や言葉も細菌類も「波動」を発している、同時に、他からの「波動」と共鳴する〟などと言います。「波動」も「共鳴」も科学、物理学用語にありますから、その連想もあって、科学に弱い人にとって、このニセ科学の「波動」は、科学的な雰囲気を醸し出すものになっています。

すでに見たEMも、そのような波動なども取りこんでいたことを思い出しましょう。

企業がまっとうな商品で適正な利潤をあげるのは当然のことですが、インチキ、ニセ科学で儲けることは社会にとって大きなマイナスです。

５　マイナスイオンを発生するというトルマリン

トルマリン（電気石）という鉱石があります。非常にきれいなものは宝石にもなります。トルマリンが電気石と呼ばれるのは、加熱したり、摩擦したりすると静電気が起きるという性質をもっているからです。その性質は事実です。

しかし、そこから話が飛躍します。「マイナスイオンを発生する」「水に接触させると放電して水中でヒドロキシルイオンという界面活性物質が生成する」などが言われます。

しかし、科学的な根拠はありません。

マイナスイオンがブームになった頃は、トルマリンをそのまま身につけたり、粉末を繊維に練り込んださまざまな商品が販売されました。

水にトルマリンを接触させたトルマリン水も、界面活性物質（せっけんや洗剤のようなもの）ができるので洗剤を使わないで洗車できるなどということが言われました。水だけでもかなりの洗浄力がありますから、洗剤を使わなくても洗車できるのでしょう。

さらに、トルマリン水は、ラジエーターに入れると燃費がよくなる、重油を分解する力がある、飲むと健康増進に役立つ、などとうたわれています。トルマリン水製造装置として、イオン交換樹脂と組み合わせた、２００万円以上のものが売られているというから驚きです。

6 ゲルマニウムはマイナスイオンが出て健康によい？

(1) ゲルマニウムは健康によいという根拠なし

ゲルマニウムというと、健康によさそうに思う人がいるようです。ゲルマニウムがふくまれているブレスレットなどのアクセサリーをつけると「貧血によい」「疲れが取れる」「発汗する」「新陳代謝が良くなる」などの効果をうたった商品がありました。

国民生活センターは、健康によいとして販売されているゲルマニウムブレスレット12銘柄を対象に調査を実施しました。ベルト部分にゲルマニウムがあったものはなく、7銘柄は黒色あるいは金属の粒部分に微量あっただけでした。まったくふくまれていないものもありました。

一番の問題は、うたわれている健康効果が科学的に確認されなかったということです。

さらに無機ゲルマニウムでも有機ゲルマニウムでも食べるのは厳禁です。1970年代にゲルマニウムのブームがあり、無機ゲルマニウムをふくんだ健康食品を食べて死者が出ています。有機ゲルマニウムにおいても、食べて健康障害が起こったり、死亡した例があります。

なお、ゲルマニウムにデトックス（体内にたまった有毒な物質を排出すること）の効能があるとする商品があります。2008年、公正取引委員会は、デトックスによる痩身効果を標榜（ひょうぼう）する商品の販売業者2社に対する排除命令を出しました。摂取する（粒状タイプ）、又は煎じて飲用する（茶葉タイプ）ことにより、含有成分のゲルマニウムによるデトックス効果によって、体内の老廃物を排出させるなどして痩身効果が得られること等を標榜する商品でした。

その１社のサイトには、「デトックス痩身効果の仕組み」として、「体内の有害な老廃物を廃出し痩せやすい体質をつくる」「有機ゲルマニウムの効果」「体内の毒素や老廃物を48時間以内に体外へ排出させる」「体脂肪を減少させる」「マイナス５キログラム　成功者続出！」「腸内の汚染物質を排出」「痩身体質に改善するプロ推奨の５ＳＴＥＰプログラム」「解毒効果の高い高純度の有機ゲルマニウムとキャンドルブッシュが体内に溜まった老廃物や汚染物質を体外に排出させ、内臓脂肪を削ぎ落とし、痩せやすい環境に導きます」とありましたが、これらのサプリにはデトックス効果という表示の裏付けとなる科学的・合理的根拠が認められませんでした。つまり根拠のないものを、高い効果を騙って売りつけていることが問題になったのです。

(2)　ゲルマニウム温浴は単なる温浴の効果

ゲルマニウム温浴というものがあります。ゲルマニウムをふくむ化合物を溶かした40～43℃の湯に、15～30分程度手足をつけて温浴を行う入浴方法です。

ウェブサイトには、「有機ゲルマニウムは体内で多量の酸素を作り出します。皮膚呼吸によって体内に取り込まれたゲルマニウムは血液中に溶け込んで、血中の酸素量を増加させます。血液の循環によって酸素が全身に届けられるので、代謝がどんどん高まります」「有機ゲルマニウムは約32℃以上で、マイナスイオンと遠赤外線を放出します。これらも体内に入り込んで、体を温め、代謝を高めます」などという説明がありました。

もし皮膚を通して血液中に入り込めば食べた場合と同じようなことになると考えられます。つくり出すという多量の酸素はどこから生じるのでしょうか。本当に普通の状態より多量の酸素が細胞に行けば、酸素の酸化力で悪いことが起こるでしょう。実際はそんなことがないので、健康障害が起こっていないのでしょう。

なお、ゲルマニウム温浴による健康障害はとくに報告がないので、食べたり飲んだりした場合と異なり、体内にはほとんど吸収されていないのではないかと思われます。

世間には未だ「マイナスイオン＝健康によい」と思っている人がいるから説明に使うのです。マイナスイオンではなく電子放出という説明も多く、ブレスレットの効果の説明にも使われていますが、国民生活センターの調査結果にあるように科学的な根拠はありません。

結局のところ、ゲルマニウム温浴は、湯に手足をつけて温めるということによる効果はあっても、ゲルマニウムの効能には科学的な根拠はないのです。

(3) 遠赤外線を用いた説明も根拠なし

遠赤外線というのも特別な電磁波で、体に吸収されて体を温めるイメージを与えています。しかし、どんな物体も遠赤外線を出しているし、32℃の物体から出る遠赤外線では体が温まらないし、体内に1ミリメートルも入り込みません。「遠赤外線は体の芯まで浸透して温めて、細胞を活性化します」という説明がありましたが、皮膚表面からわずかのところ（約200マイクロメートル）までしか浸透しないで熱に変わってしまいますし、「活性化」や「免疫力のアップ」などは科学的・医学的な根拠を示してから言って欲しいものです。

７　テレビをどう見るか

マイナスイオンブームはテレビ番組によってつくられました。テレビは巷（ちまた）にニセ科学が広まることにもっとも強い影響力があります。

西尾信一さん（埼玉県立本庄高等学校教諭。ニセ科学と教育を考える会）は、テレビ番組の問題について次のように述べています。私は、とくに理科的な内容でテレビのコメントを求められることがありますので、次の西尾さんの指摘には大いに同感です。

テレビ番組というものは、制作プロダクションのシナリオに沿った演出と編集で成り立っていて、画面に現れないたくさんの事実がある。たとえドキュメンタリーであっても、再現映像はたくさん使われるし、出演者のコメントは１時間しゃべってもほんの十秒くらいしか切りとられなかったりする。間違いや非科学的メッセージが見られることさえもある。だが、多くの視聴者はそういう事情を了解して番組を見ているわけではない。

とくに、民放のバラエティー番組や生活情報番組の情報の質は、低いことが多い。視聴率とスポンサーの意向が最優先される事情があるから、情報の正確性や科学性よりも、おもしろさやわかりやすさに走りがちなのである。そして、その中でもヒドイのは、オカルト・超常現象の特集番組である。間違っていたり不十分な情報、明らかなウソ、ヤラセ、などの宝庫である。たとえば、制作現場に長く携わっていた木村哲人氏は、著書『テレビは真実を報道したか』（三一書房、1996年）で次のように述べている。

> テレビの現場では、ディレクターはもちろん、いかさまと承知で不思議現象の番組を作る。承知していないと、おもしろい番組はつくれない。物理学の常識を破って、密封したガラス瓶から品物を取り出す気功の術など、スタッフとディレクターの協力なしにできるものではない。手品を本物らしく見せるカメラの角度、失敗の部分を編集でカットする。立ち会ったレポーターのおおげさな驚きなど、どれも安っぽいヤラセの標本である。スプーン曲げや透視術が手品であることは、スタッフの常識なのである。……
>
> 私も怪奇現象の番組には100回近く関係したが、私の母が病死したときにからんで、心霊現象のハナシをこしらえ、この件だけで4回もテレビ出演している。

マイナスイオンがバブルなブームになった最大要因は、大手メーカーがマイナスイオン商品を大々的に販売したからだが、その背景には上記のようなテレビの影響力があろう。ニセ科学の予防には、「テレビの一方的な情報を鵜呑みにしない」というメディア・リテラシーを人々にもっと広める必要がある。

第3章　水が「ありがとう」「ばかやろう」で結晶を変える
――『水からの伝言』

1　『水からの伝言』とは

(1)　『水からの伝言』は波動測定器の販売や波動カウンセリングの宣伝のため

私がニセ科学批判をしていこうと思ったきっかけが、江本勝・IHM総合研究所『水からの伝言』（1999年）です。ちょうど、私が1年半かけて書き上げた『入門ビジュアルエコロジー　おいしい水　安全な水』（日本実業出版社、現在は絶版）が紀伊國屋書店本店の環境コーナーに平積みにされたときに隣に並んでいたのです。私はぱらぱらとめくり、そのばかげた内容に、「こんな本を読む人はいない」と思いました。ところが、私の本よりずっと売れているようだったのです。それでずっと気になっていました。

『水からの伝言』は、最初に「世界初!!　水の氷結結晶写真集」として出されたものです。もともとは江本勝氏らのさまざまな波動商売の一環として自費出版のようなかたちで出版された本です。

江本氏らの波動商売とは、波動測定器の販売や波動測定器で診療まがいなことをする波動カウンセリング、よい波動を転写したという高額な波動水（波動共鳴水）の販売などです。波動カウンセリングは、波動測定器で人の共鳴固有波動情報をはかり、それをもとに健康に良い複数のコードを水に転写して波動水（波動共鳴水）をつくるというものです。

『水からの伝言』は、その波動カウンセリングの宣伝や波動測定器の販売の宣伝のためでした。それが、一般のオカルト好きの人たちだけではなく、教育の世界にも浸透していったのです。

(2) 水が「ありがとう」「ばかやろう」で結晶を変える

『水からの伝言』に書かれていたのは、容器に入った水に向けて「ありがとう」と「ばかやろう」の「言葉」を書いた紙を貼り付けておいてから、それらの水を凍らすと、「ありがとう」を見せた水は、対称形の美しい六角形の結晶に成長し、「ばかやろう」を見せた水は、崩れた汚い結晶になるか結晶にならなかったというものです。

水に、クラシック音楽とヘビメタ（ロック・ミュージックのジャンルの一つ）を聴かせると前者はきれいな結晶に、後者は汚いものになると言います。つまり、水は「言葉」を理解するので、そのメッセージに人類は従おうというのです。

きれいな結晶、汚い結晶の写真は本物でも、水が言葉を理解したからではありません。「ありがとう」水ではきれいな結晶になったときに、「ばかやろう」水では結晶が崩れているときに写真を撮ったからにすぎないのです。

2　学校の道徳の授業で

こんなばかげた主張の本はすぐに世の中で無視されると思っていましたが、『水からの伝言』や『水は答えを知っている』（サンマーク出版、２００１年）などは何十万部も売れていったのには正直驚きました。

学校の教員のなかには、「水は、よい言葉、悪い言葉を理解する。人の体の６、７割は水だ。人によい言葉、悪い言葉をかけると人の体は影響を受ける」という考えは授業に使えると思った人たちがいるのです。道徳の時間などで、『水からの伝言』の写真を見せながら、「ですから〝悪い言葉〟を使うのは止めましょう」という授業が広まりました。

びんに入れたご飯に「ありがとう」「ばかやろう」という言葉をかけるというバージョンもあります。「ありがとう」のほうは白く豊潤な香りに、「ばかやろう」のほうは黒く嫌なにおいがあるようになるとしています。

本や雑誌やネットで、この授業を広めた教育団体もありました。とくに、この授業を広めたのにはＴＯＳＳ（トス：Teacher's Organization of Skill Sharing〈教育技術法則化運動〉の略）の力がありました。誰でも追試可能（真似ができる）な指導案としてサイトに載ったことで、全国の教員に広がったのです。

3　どのように写真を撮ったか？

調べたい水を少量ずつ50個のシャーレの中央に落とし、マイナス20℃の冷凍庫で冷却します。すると液体の水は少し膨張しながら凍って行きますが、最後に凍るのはシャーレの真ん中部分です。真ん中は体積膨張で盛り上がったかたちで、さらに最後に液体から氷になるので先端がとがって凍ります。真ん中の先端の尖った氷ができるのです。

これを3時間以上冷却したあと、マイナス5℃程度の実験室に取り出し、顕微鏡で観察していると、顕微鏡の照明の熱で、氷の先端のあたりで氷から直接水蒸気になります（昇華）。そのときに氷の先端に「核」がくっつくと、その核を中心に結晶が成長してきます。空気中の水蒸気や照明の熱でできた水蒸気が氷の尖った部分の核にくっついて結晶を成長させるのです、別に目新しいものではなく、普通の「雪の結晶」と同じものです。

現在では、どんな条件のときにどんな結晶ができるかが解明されています（中谷ダイヤグラム）。

きれいな結晶、汚い結晶の写真は本物でも、水が言葉を理解したからではありません。先述したように「ありがとう」水ではきれいな結晶になったときに、「ばかやろう」水は結晶が崩れているときに写真を撮ったからです。撮影者は、どれが「ありがとう」か「ばかやろう」か知った上で写真を撮っています。また、写真を撮るのは言葉を見せた何時間も後のことですから、その

「影響」で結晶になるわけでもありません。

しかし、「本に載っている」「写真がある」ということで、この話を信じ込んだ人たちがたくさんいるのです。ニセ科学というのは巧妙で、分かりやすいストーリーと一見科学的な雰囲気を示すものです。『水からの伝言』も量子力学を持ち出して「言葉にも波動がある」と説明したり、素人（しろうと）には撮れない結晶の写真を補強材料に使ったのです。

４　もっと人の心はゆたかでは？

科学者側などからの批判が高まっていきました。日本物理学会では、批判のシンポジウムを開きました。それを知って、私もニセ科学フォーラムを開催したり、『水はなんにも知らないよ』（ディスカヴァー携書、２００７年：本と電子書籍）を出して、そのニセ科学を批判したのです。

言葉の善し悪（あ）しは水に決めて貰うことではないし、そもそも水に言葉を理解できるはずもありません。

第一、言葉の善し悪しを水に教わるような世界は、心を失った世界です。もっと人の心はゆたかです。「ばかやろう」という言葉だって状況によってはとても愛に満ちているときもあります。

なお、科学者側などから「水からの伝言」授業への批判がウェブサイトやメディアでも出てきたからだと思いますが、現在は、その授業の指導案は、何の説明もなくＴＯＳＳの正式なサイトからは一斉に削除されています。それでもいったん広がってしまったので今もあちこちで「水からの伝言」授業が行われているようです。

江本氏は、2014年10月17日に71歳で急逝しましたが、リーダーを失った「水からの伝言」の影響がどうなるのかは注視する必要があるでしょう。

5　波動測定器MRAとは？

EMでも波動測定器が出てきましたが、どんな機器なのでしょうか。もう少し詳しく見てみましょう。

MRA（マグネティック　リゾナンス　アナライザー　共鳴磁場分析器）は、米国のロナルド・ウェインストックが開発したと言います。その装置の原理は、「あらゆるものが固有の波動をもっているので、その波動の共鳴周波数を調べることで、どんな病気も探り当てることができる」とされています。

ウェインストックは、あらゆる物質の共鳴周波数をコード化しているとしています。たとえば、肝臓のコードは、D273としています。MRAにこのコードをインプットして、被験者の手に押しつけた端子を通して波動を送り込むと、肝臓に特有な、かつ正常な波動を共鳴させることによって、正常波との間にどの程度乱れがあるかが数値化されると言います。その数値は正常な波動との差を、0で挟んで±21ずつの43段階で表示しています（この数値の幅は機種によって違う）。＋21であればまったく問題なし、マイナス21であれば相当危険という目安です。

江本氏は「私は、この機械を使って多くの人たちの波動を測定してきました」と述べています。彼らはこのＭＲＡを使って波動カウンセリングをやっているのです。

ＭＲＡで病気を探り当てるだけではありません。さらにそのＭＲＡが物質のもつ共鳴固有波動情報を水にプリント（転写）できるというのです。そこで、健康に良い複数のコードをプリントして波動水（共鳴磁場水）をつくることができるとします。この波動カウンセリングは、ＭＲＡで病気の原因を見つけ、病気にあった波動水を飲むことで病気が治る、という医療まがいのことをしているのです。

福本博文さん（ライター）は、波動を研究するサトルエネルギー学会の調査委員会のＭＲＡへの疑問と測定器メーカーのそれへの回答を紹介しています（『別冊宝島３３４　トンデモさんの大逆襲』宝島社）。サトルエネルギー学会は、波動や気などに対して科学的な研究・解明を進めるために、現代科学で解明されていないさまざまな未知エネルギーについて、研究・解明し、実用化を進めていくことをその趣旨としていると言います。

問題になったのは、主に四点であった。

一、ＭＲＡは極めて微弱な磁気を被測定物に与え、磁気共鳴を測定する高感度の磁気共鳴測定器であると言われているが、果たしてそのような機能があるのか。
二、コードネームは、どのような意味をもっているのか。測定器の何に対応しているのか。
三、どのようなメカニズムによって、共鳴、非共鳴を判定し、それを音の変化にしているのか。
四、水に転写されるとしているが、どのような原理とメカニズムになっているのか。
サトルエネルギー学会の会員は、大半が製造業者なので、器械の中身を知らないわけがない。中身については、暗黙の了解事項だったのである。が、外部に公表しないことを前提に、測定器メーカーの関係者が回答することになった。そして以下のことが判明した。
一、微弱な磁気を測定する装置であるように言われているが、そんな回路は何一つない。
二、コードは、表示器に数字が出るだけで、その他の部分には何もつながっていない。器械の周波数、電圧、電流などにはいっさい関係がない。コードネームは、デタラメにつけた無意味なものである。
三、出てくる音とコードは何の関係もない。音を出す装置は、掌に押し当てる金属球との間の電気抵抗のみによって決まる周波数の発振器からなっており、オペレーターの意志によって周波数を自由に変えることができる。
四、科学的に言って、転写される構造はまったくない。
波動測定器は、インチキだった。つまり「波動」そのものも業者が捏造したものにすぎなかったのだ。

「この結論は、黙っていましょうね」

サトルエネルギー学会調査委員会では、そのような申し合わせを行っている。

手を押しあてる強さによって、器械に直接触れる面積や掌にかく汗の量が変わり、電気抵抗もそれによって変わります。したがって、実際に結果に反映しているのは対象そのものの性質というより、オペレーターが対象に抱く先入観です（福本博文「波動汚染」、多湖敬彦・田中聡「いい〔超科学〕悪い〔ちょ～科学〕」、『別冊宝島334・トンデモさんの大逆襲！』）。

結局、MRAの正体は、掌の皮膚表面の電気抵抗をはかる装置にすぎません。いわば、嘘発見器の類いなのです。

ですからMRAは、そのオペレーターの操作によっていかようにも数値が出てきます。そして、それを基にした波動水（波動共鳴水）は、ただの水にすぎません。水道水を使ったとしたら、その波動水とやらは元の水道水と変わらないのです。

6　『水からの伝言』授業を広めたTOSSとは?

EMにしても『水からの伝言』にしても、教育界に広く広めるのにもっとも強い影響力を持ったのは、教育技術法則化運動「TOSS」です。

リーダーは向山洋一氏。向山氏は日本教育再生機構代表委員です。日本教育再生機構は、「新しい歴史教科書をつくる会」の内紛により同会を離れた人らが設立した保守系組織で、育鵬社歴史・公民教科書の採択をすすめる活動などを行っています。

向山氏は、確信的にオカルトを信じている人でもあります。エネルギー問題では、その解決には原子力発電推進しかない、原子力発電万歳！　という考えの持ち主です。

ＴＯＳＳの人たちは「こういう質問や説明で、こういう順序で、授業をするといい」という指導案をたくさんつくってネットに公開しています。それ自身は悪いことではありませんが、おかしな指導案がたくさんあります。原子力推進のための指導案や歴史修正主義的な社会科の指導案も目立ちますが、その一つに『水からの伝言』を使ったものがありました。

その授業では、まず江本氏の『水からの伝言』の写真を子どもたちに見せます。そこには六角形で対称形の〝美しい結晶〟と崩れた〝きたない結晶〟の写真が載っています。

そして、それが「ありがとう」と「ばかやろう」を見せた水だと説明し、「水は美しい言葉と汚い言葉を理解する。〝ありがとう〟などの〝よい言葉〟を見せるときれいな結晶をつくり、〝ばかやろう〟という〝悪い言葉〟を見せると汚い結晶ができる」と説明します。

次に、「人の体の70パーセントは水でできている」と説明します（筆者注：これは、年齢などによって違うが本当。成人の場合で約60パーセント）。そして、人に「悪い言葉」を使うと、体の中の水が影響を受けてしまうから、「悪い言葉」を使わないようにしよう、という結論にもっていくのです。

この『水からの伝言』授業は、誰でも追試可能（真似ができる）な指導案としてサイトに載ったことで、また感動的な道徳の授業になるとして全国の教員に広がったのです。

現在の学校現場は、余裕が無くなり年中〝師走（しわす）〟のような雰囲気です。書類づくりに追われ、子どもの評価に追われています。昔よりクラスの子ども数は減ったとはいえ、子どもとその背後にいる保護者ともつきあいかたが難しくなっています。

一番手がかかる授業の準備をＴＯＳＳが用意している指導案ですませてしまおうというのもわからないでもありません。ＴＯＳＳの指導案の中には、もしかしたらすぐれたものもあるかもしれません。しかし、私は「ＴＯＳＳの指導案を授業にかけようとする前に、ネットでその内容について検索してみよう。批判的なページがあったら読んでみよう。ＴＯＳＳのものだけではなく、もっと多様に授業の参考になるものを見つけよう。自分の頭で思索しよう」と言いたいです。

ＴＯＳＳは、これまでにＥＭや『水からの伝言』授業を広めてしまったことの反省が必要と思います。

第4章　水と健康をめぐるニセ科学

1　健康系に多い水のニセ科学商品

ニセ科学は、とくに健康をめぐる分野で蔓延(まんえん)しています。まず水について見てみましょう。水に限っても波動水をはじめとして、トルマリン水、マイナスイオン水、ナノクラスター・ゲルマニウム水など万能性をアピールし、ニセ科学で消費者を釣って高価なものを買わせようとするものがあります。「アトピーが治る」「がんにならない、がんが治る」など病気の不安心理につけ込み、ニセ科学の衣で科学っぽい雰囲気を出し、体験談で治った事実があるかのようにして、○○水や活水器や整水器などと称する怪しい健康器具がたくさんあるのです。

私たちが生きていくためには最低限、食べ物と水と空気（酸素）が必要です。水は、何日か全然飲まないでいると死が待っているし、成人で体内の約60パーセントをしめているので、健康によい特別な水があるはずと思ってしまう場合があります。

2　水道水 VS. ミネラルウォーター

(1)　水道水への不安感が背景に

日本でミネラルウォーターの消費量が急増している背景には、日本人の健康志向と水道水に対する漠然とした不安感があると思われます。その不安感にはっきりした根拠があるわけではありませんが、水道水を生で飲むのはよくないというイメージがあるようです。

かつては都会などで「水道水はまずい」という時代がありました。しかし、原水から水道水をつくる浄水法も変わってきていて、都会の水道水は同じ条件でミネラルウォーターと飲み比べると遜色（そんしょく）がない結果になっている場合が多くなっています。

(2)　水道水の安全基準は厳しい

水道水には健康によくないものがふくまれているのではないか、と思う人が多いのでしょうが、実は水道水の安全性のチェックは、ミネラルウォーターよりも厳しいのです。

水道水の水質は、水道法によって基準値が定められています。この基準値はすべての水道水に適用され、かならず適合していなければなりません。

対して、ミネラルウォーターは食品衛生法で「清涼飲料水」に分類され、水道水に比べて要求される水質基準項目が少なく、基準値も甘くなっています。水道水は毎日飲むもの、ミネラルウォーターはたまに飲むものということで規準が違うのです。

たとえばヒ素は、水道水の基準値が1リットルあたり0・01ミリグラム以下なのに対し、ミネラルウォーターは食品衛生法で0・05ミリグラム以下でよいのです。つまり、水道水より5倍もゆるい基準で許されているのです。ミネラルウォーターは、ある意味で水質や衛生管理は企業に委ねられている形です。

単価の問題として見ると、ミネラルウォーターの価格は水道水の約1000倍。私はペットボトルのミネラルウォーターを買ったことはありません。買うときにはお茶のような、水になんらかの手を加えている商品にしています。

(3) ミネラルウォーターの分類

ミネラルウォーターとは何かがはっきりしたのは1990年のこと。当時の農林水産省がミネラルウォーターについてのガイドラインを発表したのです。

それによると、ミネラルウォーターは、次の4種類に分類されています。

① ナチュラルウォーター……沈殿・ろ過・加熱殺菌以外の処理を行っていない水

② ナチュラルミネラルウォーター……ナチュラルウォーターの中でも、ミネラル分が天然の状態で溶け込んでいる水（地下でとどまっていたり、移動中に無機塩類が溶解したもの・鉱水・鉱泉水等）

③　ミネラルウォーター……ナチュラルミネラルウォーターを原水に、ミネラルの調整を人為的に行った水（複数の原水の混合・ミネラル分の調整・ばっ気（曝気）・オゾン殺菌・紫外線殺菌等）

④　ボトルドウォーター……先の3種類の水以外で、処理方法の限定がない飲用できる水（原水は水道水など飲用できれば何でもよい）

つまり、飲用できる水ならペットボトルに詰めれば、すべてミネラルウォーターにしてよいのです。溶けているミネラルの量がどの程度かなどの規準はありません。

市販されているものは、ほとんど、ここで言うナチュラルミネラルウォーターです。日本のミネラルウォーターのかなりの部分は、東京や大阪の水道水よりミネラル分が少ないくらいです。ですから、ミネラルウォーターなどという名称ではなく、「パック水」と言ったほうが実態を表しているかもしれません。

ヨーロッパのブランドのミネラルウォーターは、水源の周囲を保護していたり、水源でくみ上げたものを殺菌しないでそこでボトルに詰めています。

わが国のミネラルウォーターは、殺菌をしています。井戸と工場が離れていて、井戸からくみ上げた水をタンクローリー車で工場に運んで詰めている場合が多いです。かつて異物混入が問題になって、現在では衛生管理を厳しく行っていますが、原水の質などメーカーに任されているのが現状です。私は、ミネラルウォーターも、今後、水道水同様の水質基準を設けるべきではないかと思います。

3 「水のクラスター」って何なの？

ニセ科学、トンデモはお互いに連携しやすく、「水のクラスター」を説明に使うと効果的であると考えると、いろいろな水関連ニセ科学がそれを言い出します。クラスターとは〝ブドウの房〟という意味であり、水の分子がブドウの房のように集まっていることをイメージして水のクラスターと呼んでいます。

「この水は、水のクラスターが小さく、細胞に浸透しやすく、植物の成長を促進したり、味がよくなっている。クラスターの小さい水は健康によい」。クラスターという言葉を使わなくても「水の粒が細かい」「水の集団が小さい」「小さい水」なども同様です。ＥＭもＥＭで水のクラスターが小さくなるとしていました。

液体の水についての有力なモデルのひとつが、１ピコ秒（10のマイナス12乗秒＝10^{-12}秒）という短時間のオーダーで水分子の集まり（クラスター）が生まれたり壊れたりするというものです。

水のクラスターがマスコミ的に有名になったのは、核磁気共鳴装置（ＮＭＲ）の販売元である日本電子の社員だった松下和弘氏が、水をこの装置で調べ、「クラスターが小さい水は健康にいい」と言い出したことからです。ＮＭＲという先端の分析機器を使った発表は、マスコミにかなり取り上げられ、「美味しい水、健康にいい水＝クラスターが小さい水」と大変注目を集めました。

水の商品に何らかの科学っぽい説明をほしがっていた水ビジネスの間で、商品の説明にまたたく間に利用されるようになりました。アルカリイオン水、磁化水、還元水、トルマリン水など、自身を活性水とか機能水とかと呼んでいる水が共通して「水は何らかの微弱なエネルギーを受けて、クラスターが小さくなっている」と言い出したのです。

実は、水の研究をしている科学者たちからＮＭＲで水のクラスターの大きさははかれないこと、現在のところ水のクラスターをはかる手段はないことが言われています。クラスターについての松下説は科学的には否定されているのです。しかし、松下説は一見わかりやすいので世に広まったままで、科学的に否定されているということは一般の人にはほとんど流れませんでした。ですから松下説は今も大活躍というわけなのです。

もし、ある健康によいとする水についての説明に、「クラスターが小さい」「水の粒が細かい」「水の集団が小さい」「小さい水」とするような説明が出てきたら、その水についての説明は科学的に怪しいと思って差し支えありません。実際には医学的な臨床事例の検討をしていない、効能がはっきりしない水や水をつくるとする機器がたくさん販売されています。

そういう水はそろって「水が活性化する」とか、「水のクラスターが小さくなる」とか、科学的に検証されていないことをとなえて〝飲めば健康になる〟という能書きで人びとを踊らせています。

4　磁石で磁化された水は健康によい？

「水のクラスターが小さくなる」と宣伝されている水の一つに磁化水があります。

磁石は鉄を引きつけます。磁石のまわりには磁界（＝磁場）という空間があり、その中に鉄を入れると鉄が磁化されて磁石になります。また磁界のなかに電流を流すと電流は力を受けます。これはモーターの原理です。

磁石には不思議なパワーがあるというイメージを利用して、水を磁石で活性化するという磁化装置が販売されています。通常、水道管を永久磁石のN極とS極ではさんだ装置です。その間を水が流れると磁化水になるというのです。

その磁化水が、磁気の何らかの作用で水のクラスターが細分化された水になっているとか、多くの電子が水に供給されてマイナスイオンをもった水になっている、活性化された水になるとしています。

実は、水は超強力な磁石（強い電流を流した電磁石）を近づけると反発します。つまり、超強力な磁石を近づけると凹むのです。しかし、この磁気に対する性質は非常に小さいので、水そのものが磁気に影響されるということはありません。水を活性化したり、マイナスイオン水にするとうたう磁化装置では水は影響を受けません。

ただし、水が影響を受けなくても、水にふくまれている電気をもった粒子が磁石の間を動くと、その電気をもった粒子は力を受けます。水にふくまれるミネラル分は、電気を帯びた粒子（イオン）として存在し、水の流れに乗って動くので、その電気を帯びた粒子は磁界の影響で力を受けることは確かです。わずかな力を受けてわずかに進路が曲がるかもしれません。しかし、それだけの話。わずかにでも磁石の影響を受ければ水は活性化するのではないか、とも考えられますが、磁石から離れたらその影響はなくなるし、活性化されたという証明もされていません。

磁化水の場合には磁石の磁界のところを通ったときだけわずかな作用を受けるところまでは科学的でも、その後の健康によいかどうかなどは怪しげな説明はあっても臨床的な根拠はまったくありません。「強い磁界の中を水が通ると多くの電子が水に供給されてマイナスイオン水になる」という説明がされることがありますが、科学的にまったく考えられません。その電子の出所がないからです。

結局、「磁石の働きで水のクラスターが小さくなる」という説明があったら疑わしいと見るべきなのです。

5　悪玉活性酸素除去をうたう水素水

「活性酸素除去」「抗酸化作用」「還元作用」などを強調した食品や飲料が販売されています。水ならば、水素水や還元水などです。

分子状の水素を水に溶かした水素水がいま流行のようです。分子状の水素とは、理科の実験で発生させたりする水素ガスのことです。水素水が話題になったきっかけは、日本医科大学の太田成男教授らの研究でした。試験管で培養したラットの神経細胞に対して、水素濃度1・2ピーピーエムの溶液が活性酸素を還元し無毒化することを確認したという論文が、2007年に『ネイチャー・メディシン』誌という医学誌に掲載されました。太田教授は、分子状の水素は、活性酸素を何でもつぶすのではなく、老化や体のトラブルの元凶になる悪玉活性酸素・ヒドロキシラジカルだけを選択的につぶすのが特徴と言います。

アルカリイオン整水器という機器があります。浄水器が水を清らかな水、飲んで安全な水にするという目的なのに対し、水を処理して〝特別な水〟をつくると称する機器です。浄水器と似ていますが、ポイントとなる部分は大きく違います。

まず、水道水を活性炭に通します。次に、カルシウム剤（乳酸カルシウムなど）を溶かして電気分解をします。電気分解すると、陰極に「アルカリイオン水」（「還元水」ともいう）ができ、陽極に「酸性水」ができます。

アルカリイオン整水器は、1965年に厚生省で薬事認可（旧薬事法）されています。アルカリイオン水（陰極水）は「飲用することで慢性下痢、消化不良、胃腸内の異常発酵、胃酸過多（制酸）に有効」、酸性水（陽極水）は「弱酸性のアストリンゼントとして美容に用いられる」とされました。しかし、その後の国民生活センターなどでの調査でこれらの効果に疑問が出されています。

胃腸薬1包と同程度の胃酸中和力を期待するには、アルカリイオン水を10～20リットル以上飲む必要があります。また、制酸の働きは強いとは言えず、アルカリイオン水のカルシウム濃度は、もとの水のせいぜい2倍程度で、カルシウムの1日の必要量をアルカリイオン水だけからとるなら、20リットル以上飲まなければなりません。どう考えても無理な話です。

そのため、２００５年4月に施行された改正薬事法では、これらの効能を表示・宣伝することができなくなっています。

アルカリイオン整水器では陰極で水素が発生しますので、得られた水を電解水素水や電解還元水、電解還元水素水として、病気や老化のもとと言われる活性酸素を全面に出すメーカーが増えているようです。

実は、私たちの大腸に暮らす細菌には水素産生菌もいて多量の水素を発生しています。おならの量は食べ物や体調によっても異なりますが、１回で数ミリリットルから１５０ミリリットルほど、１日で約４００ミリリットル～2リットル出ると言われています。おならの主な成分は、飲み込まれた空気中の窒素が60～70パーセント、水素が10～20パーセント、二酸化炭素が約10パーセント、その他、酸素、メタン、アンモニア、硫化水素、スカトール、インドール、脂肪酸、揮発性のアミンなどです。おならとして外部に出る以外は体内に吸収されて血液循環に乗っていきます。いわゆる水素水から摂取する水素量と比べてはるかに多量です。また、水素水が消すというヒドロキシラジカルが、本当に悪玉としての働きしかしないのか、外部からそれを消す物質を体内に入れることで問題が起こらないか、ということに懸念があります。

ヒトの大規模な臨床試験で問題がなく、効果があるという結果が出るまで手を出さない方がよいと思います。

6 「実験商法」という詐欺商法

(1) 「実験商法」の具体例

まず一つ事例を紹介しましょう。

作業服を着た人が「水道局のほうから来ました」とか「水質を調査している」とAさんの家に訪問してきました。つい水道局から来た人と勘違いしてドアを開けました。すると台所へ入ってきて水道水をコップについだのです。

コップの水に、ある薬品の粉末をぱらぱらと入れると、水がピンク色に変わりました。

「ああ、この水には体に毒な物質がたくさんふくまれている。この有毒物質は体にすぐ吸収されてがんのもとになるんですよ」

ピンク色になったコップに指を入れてかき混ぜるとピンク色が薄くなりました。

「薄くなったのは、有毒物質が皮膚に吸収されたからなんですよ。こんな水を飲んでいたら、有毒物質がどんどん体内にたまって家族全員ががんになってしまいますよ」

「おたくのような有毒物質が多い水が出ているところには浄水器をつけるといいですよ」

持参した浄水器をつないで、浄水器を通した後で、コップの水にある薬品の粉末をぱらぱらと入れても、水の色は変わりませんでした。

「この浄水器は性能がよくて有毒な物質をとってしまいます」

Aさんは浄水器を購入する契約をしました。

さて、Aさんは、化学実験のようなことを見せられたので、不安が増して契約にいたったわけです。このように、簡単な化学的な実験めいたことを見せて「この商品を買わないと安全性に問題がある」などと不安をあおり、商品に効果的な裏付けがあるように思わせて商品を売りつける商法を「実験商法」と言います。

このAさんの事例では、「騙り商法」も使われています。見た目が消防署員のような格好で「消防署のほうから来ました」といって、消火器を売りつけるのが代表例です。「実験商法」は「騙り商法」や「点検商法」と組み合わさっている場合が多いのです。

(2) Aさんの事例の解説

ニセ科学とは、科学とは全然違うのに、科学の言葉を使いながら科学の雰囲気を出して人びとを騙そうというまがいものです。科学と無関係でも、論理などは無茶苦茶でも、科学っぽい雰囲気をつくれれば、ニセ科学を信じてくれる人たちがいる。実験商法は、科学の雰囲気演出の最たるものです。

Aさんの事例は、いろいろなバリエーションがあります。販売員は、水道水には塩素やトリハロメタンがふくまれていることを知っている人たちには、漠然とした有毒物質という言葉ではなく塩素などをしっかり言います。塩素は水道水に入っているのは知っていても、どの程度入っているかは普通知らないでしょう。試薬で色が変わるのを見ただけで「たくさんふくまれている」という雰囲気になります。少し知識が有れば「混ぜるな！　危険」で塩素の有毒性は知っています。人によっては戦争で最初に使われた毒ガス兵器の成分ということを知っているかもしれません。

では、Aさんの事例を少し解説しておきましょう。

使った試薬は、ＤＰＤ（ジエチルパラフェニレンジアミン）という薬品。これは残留塩素と反応してピンク色になります。残留塩素が多いほど濃くなります。

水道法施行規則で「給水栓における水が、遊離残留塩素を0・1ミリグラム毎リットル（結合残留塩素の場合は、0・4ミリグラム毎リットル）以上保持するように塩素消毒をすること」と定められています。

塩素の役目の第一は、病原菌を殺す、つまり消毒です。かつては水系の伝染病でばたばたと人が死んでいきました。塩素がふくまれることで水道水は安全性が確保されています。さらに、塩素がふくまれることで水道水の中に生物がすみにくくなります。塩素がふくまれていないとヒル、ミミズなどが出てきたりします。ですから、ＤＰＤ試薬でピンク色になるのは当然のことなのです。

指でかき混ぜるとピンク色が薄くなるのはどうしてでしょうか。

水道水の残留塩素の正体は、次亜塩素酸、もしくは次亜塩素酸イオンであり、反応する相手がいると、塩化物イオンと水に変わります。塩化物イオンは食塩（塩化ナトリウム）の成分ですから、塩と水になるのです。

指でかき混ぜたときに残留塩素と反応するのは、指の表面のあか、よごれ、細菌、細菌の分泌物が考えられます。次亜塩素酸、もしくは次亜塩素酸イオンが減れば、ＤＰＤ試薬のピンク色は薄くなります。塩素の皮膚吸収はわずかで、結局は、反応して減ったのです。

販売員がインチキをする場合もあります。指にビタミンＣのような還元性のものを塗っておくのです。その指でかき混ぜればすぐにピンク色が消えます。残留塩素とビタミンＣが反応したからです。

では浄水器を通した水道水は色が変わらないのはどうしてでしょうか。

浄水器の主役は活性炭。残留塩素を吸着して除きます。そのため、浄水器を通した水道水にＤＰＤ試薬を入れても色が変わらないのです。

ここで注意しておくのは、水道水に塩素臭があり、飲んでもまずい場合には浄水器の設置を考えてもよいということです。ただし、訪問販売の浄水器は性能の割に高額の場合が多いです。

また、ネットワークビジネス、マルチ商法などと言われる人脈を活用して行うビジネスでも浄水器を扱っており、この場合も高額の場合が多いです。

私は、訪問販売やネットワークビジネスの商品ではなく、浄水器協議会加入のメーカーのものを自分でカタログなどを比較検討した上で購入することを勧めます。

(3) 水道水に電極を差し込むと茶色などのもやもやが……

水道水をコップにとって、そこに電極を差し込むと、茶色や白色など着色したもやもやが電極の回りにできるのを見せられたらどうでしょうか。

「おたくの水道水は、ほら、こんな汚らしいんですよ。こういう有毒物質を毎日体に入れているんですよ」

活性炭入りの浄水器をつけていても、同じ結果になります。

「この特別の浄水器は海水を淡水にする仕組みと同じで、水にふくまれる水以外のものを全部取り去ってピュアな水にしますよ」

電極を差し込んでも何の変化も起こりません。

これは逆浸透膜法の浄水器を売り込むときに行われます。水道水ならミネラル分もあるので電流が流れます。このような電気分解の時に電極が溶け出すことがあります。ところが、逆浸透圧膜法の浄水器ではミネラル分を除いてしまうので電流が流れず、電極が溶け出さないのです。

なお、アルカリイオン整水器とか活性水素製造器のような「整水器」「活水器」などは、浄水器の仲間ではなく、別物という認識も必要です。

第5章　サプリメントなど健康食品の効果は？

1　サプリメントとは

(1)　サプリは医薬品ではなく食品

昨今の健康ブームもあり、テレビなどでも盛んにサプリメントなどの健康食品（以下、サプリとする）の広告を目にします。サプリは１９９０年代後半から日本に登場し、健康食品市場は、今や２兆円に迫る勢いの巨大な産業となっています。

２０１２年の内閣府消費者委員会の実態調査によると、消費者の約６割が現在利用していま す。「約４分の１がほぼ毎日利用している」「50代以上だと約３割がほぼ毎日利用している」という結果です。

私たちが口に入れるものは、法的に「食品」か「医薬品」の２つに大きく分けられます。医薬品は、厚生労働省が管理し、薬事法のもと認可されなければなりません。一方のサプリは、法律上の定義はなく、一般食品に分類されています。

健康食品とは

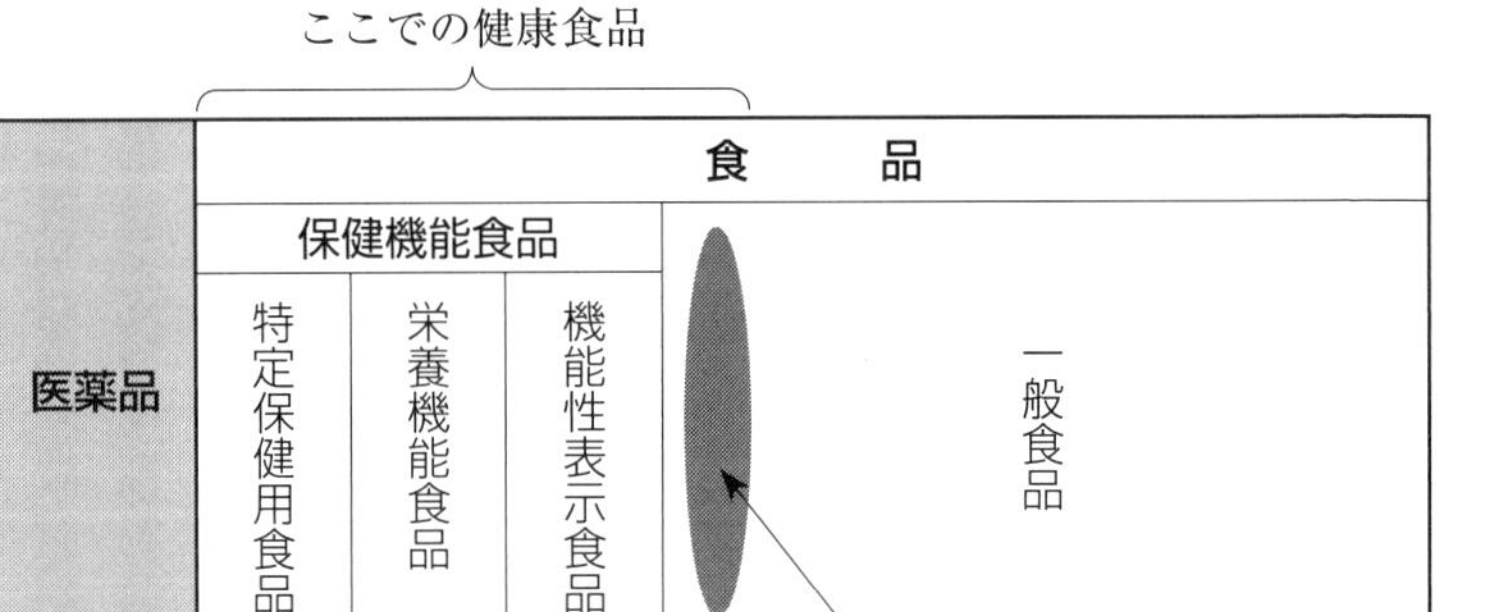

サプリは食品区分ですから効果があっても微々たるものです。治療効果があるなら医薬品になるからです。

サプリは医薬品のような効果をうたえません。そこで、薬事法に抵触しないように「健康によい」という雰囲気、イメージを醸し出しています。一般の人がそういった広告を見て、健康になれると思い込みますが、よく見ると「これは個人の感想です」などと書かれていますし、その有効性や安全性が科学的に証明されているわけではありません。

(2)　健康被害をもたらすサプリも多い

それだけではなく、中には健康被害をもたらすものも多いです。サプリを摂取し、悪い結果になると、販売業者は「それは好転反応」だと言い訳をしたりしますが、それを信じ、使い続けることで死に至るケースや重篤な症状に陥るケースまであります。医薬品ならすぐに気づくような副作用がついつい見逃されたり、よくなる前に毒素が出るという「好転反応」だと思い込んで、被害が深刻化している面があるのです。

サプリでとくに注意すべきなのは、何にでも効くという万能性や即効性をうたっているものや値段が高いものです。現在の研究では、摂取したほうが健康によいというきちんとした根拠があるサプリはないし、もし本当に効果があるならば、大量に世に出回るので価格は下がるはずなのです。しかし、価格が高いとついつい効くのではと思ってしまいがちではあります。

(3)　体験談を真に受けない

サプリを購入する動機はテレビなどメディアの宣伝以外に友人・知人からの口コミがあります。とくに「このサプリで〇〇がよくなった」などの体験談が強い影響を及ぼします。

しかし、よくなったという体験談があっても、実はそのサプリのせいではなく医師の治療や日ごろの生活の改善などによってよくなったのかもしれません。その背後には、「変わりがなかった」や「悪くなった」という人が多数いるのかもしれませんが、そういう不都合な事実は隠されたり、伝わりが弱いかもしれません。

体験談は、プラセボ（＝プラシーボ＝偽薬）効果の場合がよくあります。プラセボ効果とは、薬理作用のないもので病気がよくなったり、悪くなったりするなど、薬理作用に基づかない効果のことです。薬理学的にまったく不活性な薬物（プラセボ）を薬と思わせて患者に与え、有効な作用が表れた場合をプラセボ効果があったと言います。とくに慢性疾患や精神状態に影響を受けやすい病気では、プラセボを投与しても、かなりの効果が表れる場合があります。「よくなった」という体験談がいくらあっても、「これは……によく効くよ」という言葉の暗示が効果をもった可能性があります。

ですからもっとも根拠ある研究は、プラセボ効果を避けるために同じような集団を2つに分けて二重盲検法（ダブル　ブラインド　メソッド）という方法を使います。一方には有効成分がふくまれている治験用薬を、もう一方にはふくまれていない偽薬をあげて追跡していくのですが、患者および医師の双方に治験用薬と偽薬の区別を知らせず、第三者である判定者だけがその区別を知っているという研究方法です。

知人が体験したことばかりではなく、知人の知人が体験したことまでも自分の体験になっている場合もあります。たとえば1億の人口で1万人が「体験した」と信じていると100人くらいの知人がいるとしたら知人の知人で体験したひとりに行き着きます。たとえば、私が講義で「電子レンジで濡れた猫をチンした」「あるハンバーガーにはミミズの肉が入っている」などは「都市伝説でウソ」という話をすると「えー、ウソだったの！」という声がたくさんあがります。

(4) バイブル商法――本に書いてあるからと信じない

書店の健康・病気のコーナーには、たくさんの本が並んでいます。実はその中でまともな本はごくわずかかもしれません。

とくに目立つのは「○○で病気が治る」というような本です。こういう本で宣伝するのをバイブル商法と呼びます。広告を打つ代わりに、ある特定の健康食品や健康法を、その効能、理論、体験談等などを入れて賛美した本（通称、バイブル本と呼ぶ）を出すことで、薬事法の規制を抜けて実質的な広告にしようとするものです。本の内容は、根本的な治療法がなかったり、末期の病気で苦しんでいる人を対象としたものが多く、藁をもつかもうという人に迫っています。

バイブル本には共通した特徴が見られます。

・万能性（どんな病気にも効く）をアピール
・がんやアトピーなどが治ったという体験談をアピール
・医師、医学博士や大学教授などのお墨付きをアピール

などです。

このような本を手に取る人は、もっと健康になりたい人や健康上の不安をもっている人です。バイブル本では、その不安を拡大するようなつかみをしてから、解決方法や体験談を列挙して読者をその健康食品や健康法に期待させていきます。

著者が大学教授や医学博士になっていても、実際はゴーストライターが書いていることも多いです。また、体験談もすべて捏造だったという本も摘発されたことがあります。

学会での発表もあてになりません。学会の発表は割と簡単にできるからです。

試験管レベルや動物実験レベルの結果もヒトにあてはまるかどうかわかりません。根拠として信頼性が低いのです。がんの疫学研究者の坪野吉孝さん（東北大学教授）は、『食べ物とがん予防』（文春新書、２００２年）で、「動物実験で選び出された化学物質のがん予防作用が、ヒトで

の研究でも十分に確認されたという例は、ほとんどないのが現状」と述べています。

全てが全てインチキとは言いませんが、バイブル商法の商品は、一般的には高価で、有効性が弱いものが多いようです。

(5) 厚生労働省の広告、書籍への指導

厚生労働省は2003年8月に改正健康増進法を施行しました。そこで健康食品などの虚偽誇大広告を禁止したのです。

改正の目的は「食品として販売に供される物について、健康の保持増進の効果等が必ずしも実証されていないにもかかわらず、当該効果を期待させる虚偽又は誇大と思われる広告が数多く掲載され、販売の促進に用いられている。（中略）これを信じた国民が適切な診療機会を逸してしまうおそれ等もあり、国民の健康の保護の観点から重大な支障が生じるおそれもある」からです。たとえば、〝「糖尿病、高血圧、動脈硬化の人に」、「末期ガンが治る」、「肥満の解消」、「疲労回復」、「強精（強性）強壮」、「体力増強」、「食欲増進」、「老化防止」、「免疫機能の向上」〟などは駄目です。

かつては、バイブル本には、巻末などに健康食品の販売会社や医療機関、健康法の連絡先が記載されていました。業者は、体験談などを載せて「自分の症状と同じだ。これで自分もよくなるかもしれない」と連絡してくるカモを待っていたのです。

改正健康増進法では、書籍が実質的に広告と同じ場合には書籍も広告扱いとしました。「特定

の食品又は成分の健康保持増進効果等に関する書籍や冊子、ホームページ等の形態をとっているが、その説明の付近に当該食品の販売業者の連絡先やホームページへのリンクを一般消費者が容易に認知できる形で記載している」とあるので、連絡先を入れるのはアウトになっています。

たとえば、２０１１年に次のようなことがありました。

神奈川県警（生活経済課）が10月６日、健康食品の〝バイブル本〟を発行して販売を幇助(ほうじょ)したとし、薬事法違反で現代書林（本社・東京都新宿区、坂本圭一社長）の元社長を逮捕した。

バイブル商法に対する薬事法の摘発は、２００５年に起きたミサワ化学と史輝出版の役員らの逮捕が思い起こされる。が、出版社が広告違反に問われた前回のケースと異なり、今回、現代書林はより刑罰が重くなる可能性がある「販売の幇助」にも問われている。逮捕の過程で現代書林が発行する約80冊のバイブル本も併せて押収されており、今後、これらを出版して販売に役立てていた販売会社にまで波紋が広がる可能性もある。（「通販新聞」２０１１年10月13日【現代書林元社長逮捕で広がる波紋】神奈川県警の薬事法違反事件）

２００５年には〝「アガリクス本」監修の東海大名誉教授を書類送検、アガリクス本監修、医師らを薬事法違反容疑で書類送検、書籍で違法広告、メシマコブでも…出版社役員ら逮捕〟がありました（アガリクスやメシマコブはキノコの一種の健康食品。１０７～１０８ページ参照）。

ＥＭの比嘉氏は、「今では、健康や医療の分野で抗酸化効果があるとして商品を売り出したり、活用することは薬事法違反に問われてしまいます」「当初、『新・地球を救う大変革』は地球上の環境問題で最も解決が困難とされる『放射能汚染対策』がＥＭで可能になったことと、病気のほとんどを予防または治療し得るという結論に達したために書かれたものでした。ところが、その効果は抗酸化作用が関わっているため、当初書かれた医療健康に関する最も大事な章の大半が薬事法に触れるという理由で、最終校正が終わった段階で、すべて削除されることになってしまいました」（『新・地球を救う大変革』新・夢に生きる〔63〕）と述べています。

発行元のサンマーク出版が、ＥＭの医療健康に関して「抗酸化作用」などをうたう内容が薬事法に触れるので本に入れられないとしたのは、バイブル本についての規制を知っていたからです。

2　がんという病気と発がん

⑴　がんとは

私は、帯に「毒と無駄しかない高額健康食品　クロレラ　アガリクス　プロポリス　グルコサミン」というキャッチフレーズを入れた『病気になるサプリ　危険な健康食品』（幻冬舎新書、２０１４年）を出しました。詳しくはそちらを見てもらうことにして、まず抗がんサプリをめぐるニセ科学に絞って見ていきましょう。

ヒトの体は約60兆個の細胞からできています。その細胞の一つひとつがそれぞれ自分の役割をきちんとはたしているからこそ、体は健康な状態が保たれています。ところがそれまで正常に働いていた細胞が、何かのはずみで、ある日突然、自分の役割を忘れたかのように勝手なふるまいをし始めたとき、その細胞は「がん化した」と言います。がん化した細胞をがん細胞と言います。

さらに悪いことに、このがん細胞は、他へ転移しやすく、体のどこへでもいって増殖を始めるというやっかいな性質を持っています。がん細胞は増殖して腫瘍というこぶ状になります。がんの名については、腫瘍が岩のようなので、岩を意味する癌の字があてられたという説が有力です。

がんは、身近な病気です。今後、日本人の２人にひとりはがんになり、３人にひとりはがんで死ぬと考えられています。

がん細胞が出現する確率は加齢とともに上昇するので、臨床的にがんと診断されていない高齢者の体内にも、多少のがん細胞はあると考えられています。こうしたがん細胞は免疫系により増殖が抑制されていると考えられています。たとえばリンパ球の一種であるナチュラルキラー細胞は、骨髄でつくられ、がん細胞を見つけると、ヒドロキシラジカルをつくって、がん細胞を殺すと考えられています。ヒドロキシラジカルは活性酸素の中でもっとも酸化力が強いものです。活性酸素を悪玉一色で見てはなりません。

(2) がんの多段階発がん説

現在、がんの発生は「多段階発がん説」が有力です。

まずは発がんが始まるきっかけのイニシエーションです。がんを起こす化学物質を発がん性物質と言います。発がんは発がん性物質が遺伝子の実体であるＤＮＡを損傷することに起因しますが、慢性肝炎からのがん化やアスベスト吸入による肺がんの発病などは、ＤＮＡ損傷に起因しない発がんで、長期にわたる炎症反応ががん化へと至らせるとされています。また発がんには他に活性酸素、フリーラジカル、紫外線、放射線やウイルス感染の関与が明らかとなっています。これらはイニシエーターと呼ばれます。

次に、プロモーション（促進）で、プロモーターによってがん細胞が発生します。

そして次にプログレッション、増殖の段階です。発生した１個のがん細胞が次々と分裂増殖していく段階です。

(3) がんの原因

がんの原因としては、喫煙が全がんの３分の１に関係していると考えられています。たばこはイニシエーターだけではなく、強力なプロモーター作用があります。

食事も、全がんの３分の１に関係していると考えられています。塩分濃度の高い食事と胃がん、動物性脂肪摂取と大腸がん、乳がん、子宮体がんなどには関連があるようです。その他、がんの2割近くは、細菌感染やウイルス感染が原因になっています。

3　アガリクスなどの抗がんサプリ

「抗がんサプリ」と称するものには、アガリクス、メシマコブ、フコイダンなど各種あります。アガリクスなどキノコ系の抗がん作用は、ベータグルカンが免疫機能を活性化して、間接的にがんを攻撃するという「仮説」に基づいています。グルカンというのは、たくさんのブドウ糖が結合した多糖類のことで、その結合の仕方でアルファグルカンとベータグルカンがあります。アルファグルカンにはグリコーゲンやデンプンなど、ベータグルカンには紙の繊維をつくるセルロースなどがあります。

ベータグルカンは食品化学では食物繊維として扱われる、消化されない成分です。そのような消化されない、つまりは体内に吸収されないベータグルカンに免疫作用があるかどうか疑問です。腸管を刺激するから体にいいという仮説もだされていますが、はっきりしていません。

サプリとして市販されているアガリクスは、ハラタケ属のヒメマツタケ（カワリハラタケ）というキノコの一種です。もとはブラジル原産ですが、現在では国内でも人工栽培されています。

アガリクスのサプリを摂取した3人のがん患者が、重症の肝障害に陥ったとの報告がありま す。またアガリクスは、やせ薬以外の健康食品・民間薬による肝機能障害の原因物質としては、ウコンに次いで報告が多いことにも要注意です。がん患者が服用し、劇症肝炎、肝機能障害、薬剤性肺炎など、重篤な健康障害を発症する例が目立ちます。

2005年2月、厚生労働省は、アガリクスがふくまれている1製品について、販売者に自主的販売停止と回収を要請しました。国立医薬品食品研究所の試験で、アガリクスがふくまれている3つの製品について、摂取目安量の約5～10倍量をラットに与えたところ、そのひとつに、発がん促進作用が認められたからです。問題になったのは1製品でしたが、冷静にアガリクスの効果を見直してみると、ヒトで効果を証明するための臨床研究がなかったことに驚かされます。米国食品医薬品局がアガリクスのがん治療効果を承認していないせいもあって、ヒトを対象にした臨床試験のデータはありません。

キノコ系サプリには他にも、マイタケ、霊芝（マンネンタケ）、メシマコブ、AHCC（活性化糖類関連化合物）があります。そのどれもが、試験管レベルや動物実験で効果があったという報告や医師の治療体験はあっても、ヒトを対象にした臨床試験が乏しい状態です。

フコイダンは、海藻の表面のぬるぬるした成分のひとつで、海藻のなかでもモズク、ひじき、昆布、ワカメなどの褐藻類にふくまれています。試験レベルや動物実験で、抗がん作用があるという報告がありますが、これもヒトを対象にした臨床試験の根拠がありません。

4　がん予防に効果があると信じて調べてみたら――ベータカロテンの神話

疫学的調査で野菜や果物のがん予防効果がわかり、その有効成分はベータカロテン（＝ベータカロチン）ではないかと推測されました。細胞レベルの研究からも活性酸素の働きを抑えることも判明、動物実験からも発がん物質の有害性を抑えることがわかりました。数々の科学的データから研究者は「ベータカロテンはがん予防に確実に効く」と確信したのです。科学的な根拠がほとんどなく販売されている健康食品も多いなかで、ベータカロテンは、数多くの研究結果から確実に効果があると信じられていたのです。そこで、１９８０年代に数万人規模で約5年以上の研究が開始されました。たとえば肺がんを減少させる効果があるのではないかと考えたのです。

そのひとつの米国の結果では、喫煙者など肺がんリスク者約1万８０００人のうち、ベータカロテンとビタミンAを毎日服用した人は偽薬を服用した人よりも肺がん発生率で28パーセント、死亡率で17パーセント高くなったのです。約3万人を追跡調査したフィンランドの結果も、肺がんになる危険率が18パーセント上昇しました。ベータカロテンを摂取したほうががんになっていくという驚くべき結果が出たのです。

この結果からわかるのは、このように食品と健康との関係にはまだまだわからないことが多く、一筋縄ではいかないということです。ベータカロテンは抗酸化性をもつことでも有名ですが、外部から抗酸化性の成分を多量入れると、身体は体内の活性酸素をつぶす働きを弱めてしまうことも考えられます。

世界の疫学研究の成果に基づいても、日本人は野菜の摂取で食道がん、大腸がんの発生が、果物の摂取で食道がん、胃がん、肺がんの発生が抑えられると考えられています。つまり、野菜や果物の摂取は、がん予防に効果がありそうです。野菜や果物にはがん予防に効能がある成分がふくまれている可能性はあります。しかし、それが何なのか、また単一成分なのか、複合的な成分なのかなどわからないことが多いのです。

とりあえず、ベータカロテンの教訓としては、野菜や果物から摂るよりも、何らかの単一成分を抽出してサプリのかたちで多量摂取すると危険性があるということでしょう。結局、バランスのよい食事をとることこそが最大のがん予防なのかもしれません。

5　ひどく焦げた部分を食べるとがんになる？

(1)　かつて「がんを防ぐための12カ条」に焦げが入った経緯

「焦げには発がん性物質がふくまれている」とどこかで聞いてから、焦げを取り去って食べている方はいないでしょうか。

焦げとがんがとくに結びついて語られるようになったのは、1978年に国立がんセンターの発表した「がんを防ぐための12カ条」が広く知られるようになってからです。その中のひとつが「ひどく焦げた部分は食べない」でした。

これには、国立がんセンターで行われた動物実験の結果が反映されています。細菌を用いた変異原性（細胞に対する毒性のひとつで、遺伝子に突然変異を起こす性質や、染色体やDNAに傷害を与えるような性質）試験で陽性を示しました。焦げをネズミに食べさせればがんになるのではないかと、魚粉を焦がしたものを食べさせ続けました。しかし、がんになりませんでした。そこで、焦げのなかで変異原性を示す物質探しをしました。

肉や魚のうまみの素は、トリプトファンやチロシンと言われるアミノ酸で、このアミノ酸に熱が加えられると、ヘテロサイクリックアミンという化合物がつくられます。これを化学的に合成したものを動物に食べさせ続けたらようやくがんになったのです。一生懸命ここまで研究したということで、がんを防ぐための12カ条に「焦げを食べない」が入れられたのです。

しかし、焦げの発がん効果は大変弱いのです。この動物実験を行った研究者は、「実際に、焼き魚の皮の焦げや焼き肉の焦げを食べて腫瘍ができるのには、サンマなら２万尾の焼き魚の皮を（毎日）食べ、時間にして10から15年はかかる」と述べています。

ヒトの細胞が魚の焼け焦げ物質により変異を起こす可能性は、ラットの数十分の一程度でしかない、という新しい実験結果も出ています。私は、焦げは大変弱い発がん性で、気にするほどのことはないと考えています。気になる人は、よくかんで食べることです。唾液には、その発がん性を抑制する働きがあるからです。

(2)　日本人のためのがん予防法

現在は、国立がん研究センターがん予防・検診研究センターは、「日本人のためのがん予防法現状において日本人に推奨できる科学的根拠に基づくがん予防法」として、次の推奨１～６をあげています。「食事」の項にも、「焦げ」はありません。

【推奨1】喫煙……たばこは吸わない。他人のたばこの煙をできるだけ避ける。
目標：たばこを吸っている人は禁煙をしましょう。吸わない人も他人のたばこの煙をできるだけ避けましょう。

【推奨2】飲酒……飲むなら、節度のある飲酒をする。
目標：飲む場合は1日当たりアルコール量に換算して約23グラム程度まで。日本酒なら1合、ビールなら大瓶1本、焼酎や泡盛なら1合の3分の2、ウイスキーやブランデーならダブル1杯、ワインならボトル3分の1程度です。飲まない人、飲めない人は無理に飲まないようにしましょう。

【推奨3】食事……偏らずバランスよくとる。
＊塩蔵食品、食塩の摂取は最小限にする。
＊野菜や果物不足にならない。
＊飲食物を熱い状態でとらない。
目標：＊食塩は1日当たり男性9グラム、女性7.5グラム未満、特に、高塩分食品（たとえば塩辛、練りうになど）は週に1回以内に控えましょう。

【推奨4】身体活動……日常生活を活動的に。
目標：たとえば、ほとんど座って仕事をしている人なら、ほぼ毎日合計60分程度の歩行などの適度な身体活動に加えて、週に1回程度は活発な運動（60分程度の早歩きや30分程度のランニングなど）を加えましょう。

【推奨５】体形……成人期での体重を適正な範囲に。
目標：中高年期男性のＢＭＩ（Body Mass Index 肥満度）で21～27、中高年期女性では19～25です。この範囲内になるように体重を管理しましょう。
ＢＭＩの求め方　ＢＭＩ値　＝　体重(キログラム)／身長(メートル)の２乗
【推奨６】感染……肝炎ウイルス感染検査と適切な措置を。
目標：地域の保健所や医療機関で、１度は肝炎ウイルスの検査を受けましょう。感染している場合は専門医に相談しましょう。

(3) 近藤誠氏の「がんもどき理論」

ベストセラーになって大きな影響力をもつ近藤誠氏の「がんもどき理論」があります。近藤誠氏は、がんとされているものには、「本物のがん」と、放置しても転移が生じない「がんもどき」の２種類あると言います。本物のがんは、発見されたときには、すでに転移しているからと放置療法を薦めたりしています。

放置しても転移を生じないがんがあることは事実ですが、他はすべて、初発がん発見のはるか以前に転移している「本物のがん」だというのはニセ科学（ニセ医学）の類いでしょう。

実際は、近藤氏のいう本物のがんとがんもどきの間に、早期に発見すれば治癒切除可能ながんが存在します。個々のがんについて総合的に判断したほうがよいと思います。

6 アルカリ性食品は健康によい？

(1) 酸性食品・アルカリ性食品は燃やした灰で分類

梅干しやレモンはすっぱいのに「アルカリ性食品」と言われます。梅干しもレモンも、実際にリトマス試験紙などで酸性、アルカリ性を調べるとはっきりと酸性です。ですから、アルカリ性食品は、そのものがアルカリ性だというわけではないようです。

実は、食品を燃やしてその燃えかすの灰汁（水溶液）がアルカリ性ならアルカリ性食品、酸性なら酸性食品なのです。

梅干しやレモンがすっぱいのはクエン酸という有機酸のせいですが、クエン酸は、炭素・水素・酸素からできているので、燃やすと二酸化炭素と水になってしまいます。成分としてカリウムをたくさん含んでいると炭酸カリウムという水に溶けてアルカリ性を示す物質を生じるからです。他に、野菜や果物、大豆、牛乳などもアルカリ性食品です。これらにはカリウムのほかにカルシウムやマグネシウムなどが多くふくまれていて、灰汁がアルカリ性を示します。

硫黄やリンは、燃やせば、二酸化硫黄（水に溶かすと亜硫酸）や十酸化四リン（水に溶かすとリン酸）になります。ですから、元素として硫黄やリンを多くふくむ食品は、酸性食品になります。米や小麦などの穀類や肉、魚、卵などが酸性食品です。

(2)「アルカリ性食品・飲料は体によい」はウソ！

わが国では、食品を酸性食品・アルカリ性食品に分類することが、数十年前くらいまでの古い栄養学では行われていました。食品で体内が酸性やアルカリ性になると考え、酸性に傾くと体によくないとしたからです。

そのときの前提は、「体内でも、燃焼と同じような反応が起こっている」ということでした。現在では、体の中で起こっている反応がいろいろわかってきて、「食品の燃えかす次第で、体が酸性になったり、アルカリ性になったりすることはない」ということがはっきりしています。体の中では、血液は中性に近い大変弱いアルカリ性に保たれています。そのための調節がいろいろ行われているのです。ですから、もしも酸性食品に分類された食品だけをとり続けても体内は酸性になりません。

結局、「アルカリ性食品・飲料は体によい」はウソなのです。それでも、食品・飲料に「アルカリ性」をうたっている場合があるので注意が必要です。

まれに血液が酸性のほうに傾くことがあります。それは、食品のせいではなく、肺や腎臓などの病気の結果です。血液のpHが６・８～７・６の範囲を出ると、つまり酸性に傾きすぎてもアルカリ性に傾きすぎても、生きることが難しくなります。

7　生の酵素を摂ると健康によい？

最近、酵素栄養学がアンチエイジングの方法として美容と健康に良いと広められています。かなり流行しているようです。そこで、『理科の探検（RikaTan）』誌（２０１４年春号）で酵素栄養学を紹介し批判している片瀬久美子さんの記事や彼女のブログ記事を参考に取り上げておきましょう。

(1)　生命活動の担い手――酵素

生物の体の中で、食物の消化や吸収、呼吸、輸送、代謝、排泄（はいせつ）……、これらすべての段階の化学変化で働いているのが酵素です。

生物の体の中では、たえまなく物質の化学変化が進行しています。数多くの、しかも複雑な化学変化が整然と進行しています。酵素は、そのときに働く生体内の触媒です。触媒とは、それ自身は変化をしませんが、他の物質の化学反応のなかだちとなって反応の速度を速めたり遅らせたりする物質です。

３７００種余りもあるヒトの酵素は、それぞれが受け持ちの反応があって、お互いに邪魔しないように働いています。

ほとんどの酵素はタンパク質からできています。このため、高温条件や酸、アルカリなどでその立体構造が壊れて変性し、触媒の働き（活性）がなくなります（失活）。したがって、酵素の多くは、中性（pH７）付近、体温程度（37℃）でもっとも高い活性を示します。生体内には、一定のpHを保つ働きがあるので、酵素は失活せずにちゃんと働くことができます。

ただし、多少性質が異なる酵素も存在します。酸性の状態やアルカリ性の状態で活性が高くなるものや、ある程度の高温に耐えるものなどです。

(2)「酵素栄養学」は本当か？

酵素を食べ物から体に取り入れることで健康維持に役立つという説をもとにした「酵素栄養学」と呼ばれる健康法があります。

その酵素栄養学では、酵素を栄養の一種として考え、酵素が不足することが万病のもとになっていると言います。そして、酵素は加熱すると変性するので加熱した食品よりも非加熱の食品（ローフード）を食べる方が体によいとか、発酵食品には酵素が多くふくまれるから食べると体によいのだと言います。

しかし、主にタンパク質からできている酵素を食べ物から補おうとしても、食べ物と一緒に胃や腸の中で分解されてしまい、酵素のまま体内に吸収されることはありません。食べ物からとり入れた酵素が、体内で作られるさまざまな酵素の代わりとして働くというのはニセ科学なのです。

生きた乳酸菌など微生物がふくまれた生の発酵食品を摂ったとしましょう。食品中に微生物が増えると微生物にふくまれる酵素も全体量として増えますが、その増えた酵素も食べてしまえば胃の中の胃酸で変性するし最終的に消化されてしまうのがほとんどです。微生物が消化を逃れて生きたまま腸に行ったとしても、その微生物の酵素のほとんどは微生物の体の中で働きます。

一部の腸内微生物は酵素を分泌して周囲の未消化の食べ物を分解して取り込みます。そうした分泌タイプの酵素は腸内でも働きます。また、人の腸内に生息できる微生物は、微生物全体の中では限られています。たとえば生きた乳酸菌が腸まで届いたとしても、そこに常在できずに通過していくだけです。

(3) 酵素ジュースの危険性

酵素栄養学から派生した手法として「酵素ジュース」があります。

野菜や果物を常温で放置して菌を繁殖させ、菌の中で作られる酵素を食べると体によいとしたものです。酵素ジュースは、容器に野菜や果物を切って詰め込み、砂糖を加えて素手で掻(か)き回してから何日間も放置して発酵させ、出てきた汁です。それを、そのまま加熱せずに飲むというレシピが美容系の雑誌や料理教室でも広められています。この方法は衛生上勧められません。手に付着している常在菌で自然に発酵させると言いますが、どんな菌が入り込むのかわかりませんので、安全性に問題があります。食中毒菌が混ざる可能性があるからです。

(4) ヒトは「調理をするサル」

人類の定義のひとつに「調理をするサル」をあげたのは、人類学者のリチャード・ランガムが著した『火の賜物　ヒトは料理で進化した』（ＮＴＴ出版、２０１０年）においてです。

著者は、現代の人類が厳密な意味の生食（加熱、調理を一切しない）を続けると健康状態でいられるのは１カ月程度、料理をすることで安全性と消化性がアップすることなどを論じています。最後に「この結果、料理法の発達は２００万年の人類の進化において、他の生物種では見られない継続的な脳の拡大に貢献し、退屈な人間の体に輝かしい精神を宿らせたのだ」と結んでいます。

人間以外の動物は、せいぜい食べ物のゴミを払ったり、水洗いするくらいです。調理をすることで、「ふくまれている成分を消化しやすいように変化させる」「大きさや食感を食べやすい状態に変化させる」「衛生状態を改善して食中毒などの危険を避ける」ことになりました。

「酵素栄養学」で推薦されるのは、非加熱の食品や発酵食品です。

発酵も食べ物を焼いたり、炒めたり、油で揚げたり、煮たり、ゆでたり、蒸したりする加熱と同様に食べ物成分に化学変化を起こしている操作だということは知っておきましょう。発酵では、微生物がかかわっているということです。生の食べ物や発酵食品にふくまれている酵素が消化器内で消化されてしまうことを考えると、食品の加熱を避ける理由がわかりません。生の野菜も発酵食品も加熱食品もそれぞれによい点があるからそれぞれ適度に食べればよいと思うのです。

なお、発酵は腐敗と対で出てくることが多いのですが、どちらも微生物がかかわる働きです。微生物が生きるための活動をした結果、人の役に立つ食べ物を作る助けをする微生物の働きを発酵と呼び、人が食べられなくなる、健康に害を及ぼすほどに食品を分解する微生物の働きを腐敗と呼んでいます。つまり、人の価値判断で分けている概念なのです。

8　遺伝子組換え食品

(1)　遺伝子組換え作物、遺伝子組換え食品とは

生物の細胞から有用な性質を持つ遺伝子を取り出し、植物などの細胞の遺伝子に組み込み、新しい性質をもたせることを遺伝子組換えと言っています。そうしてつくった作物が遺伝子組換え作物です。

初期の遺伝子組換え作物には、除草剤耐性や害虫抵抗性を持たせるため、特殊な酵素やタンパク質の遺伝子を導入されたものが多いです。これらは、主に生産者に利益をもたらすので、第一世代の遺伝子組換え作物と呼ばれます。

たとえば、トウモロコシにはアワノメイガという害虫がいて、茎に穴をあけて食害するため、茎が折れたり、生育が悪くなったりします。昆虫病原菌の一種であるバチルスチューリンゲンシ

ス（Ｂｔ菌）の毒素タンパク質の遺伝子を遺伝子組換え技術によりトウモロコシに組み込んだＢｔトウモロコシが開発されました。これによりトウモロコシに被害をもたらす害虫のアワノメイガがＢｔトウモロコシの茎を食べると消化管が破壊されて死んでしまいます。したがって通常ならば年に４から６回の農薬散布をほとんどすることなくトウモロコシが生育するので農家の労力が減り、収穫量も増やすことができるのです。昆虫ではＢｔ菌のタンパク質は消化管で部分的に消化されて、タンパク質断片ができ、このタンパク質断片が消化管の壁に小さな穴を空けて死にますが、人や哺乳類の消化管では環境が異なるため、人や哺乳類が食べてもアミノ酸まで分解されて、まったく問題が起こりません。

他には、栄養を強化したり、あるいは花粉症緩和機能を持たせるなど、消費者に利益をもたらすものも開発されてきており、これらは第２世代の遺伝子組換え作物と呼ばれています。

遺伝子組換え食品とは、その遺伝子組換え作物を原料に用いた食品ということになります。

(2)「遺伝子組換え食品は食べると安全性に問題がある」って本当？

遺伝子組換え作物が実用化されるにあたっては、食品の安全性などを確認するためのさまざまな試験が行われています。もし、開発途中で安全性試験の結果で問題があれば、研究開発、商品化、市販などは一切中止になります。普通の食品と同等に安全なものしか実用化されていません。

(3) 非遺伝子組換え作物は「自然なもの」って本当？

「遺伝子組換え作物は人工的で、非遺伝子組換え作物は何千年も前から食べられてきた自然なものだ」と思う人がいるかもしれません。

実は、私たちが食べている普通の食べ物はほとんどが「自然なもの」ではありません。たとえばコメでも野生イネを食べているのではなく、品種改良を繰り返して野生種とは違う品種をつくりあげたものを食べているのです。

その品種改良は、おしべとめしべ、雄と雌をかけ合わせて、という古典的な交雑育種法だけでなくさまざまなバイオ手法を使っています。遺伝子組換えもバイオ手法の一つですが、ここ何十年間では、他にも染色体操作したアスパラガス、細胞融合したコマツナ、ジャガイモ、放射線や薬剤の突然変異誘発剤を使用したイネ、ダイズなどがあります。

「新しい品種が確立された」ということは、もとの品種とは、遺伝的な特徴が異なっています。つまりは遺伝子が変化していることを意味しています。

遺伝子組換え作物は、新しい遺伝子と、そのタンパク質について、個別的、具体的に安全性確認が行われるようになった初めてのものだったのです。

米国では突然変異誘発剤を使用してつくりだされた新品種のダイズが栽培されていますが、安全性確認はされていず、輸入したわが国では「遺伝子組換え大豆不使用」と表示しています。遺伝子組換え品種以外の新品種すべてが、安全性確認がまったくされずに市場に登場しているのです。

(4)「私は遺伝子組換え食品を食べていません！」って本当？

「私は必ず表示を見て、遺伝子組換え食品を避けている」という人がいるかもしれません。

現在、表示が義務づけられているのは、ダイズ、トウモロコシ、ジャガイモ、ナタネ、ワタ、アルファルファ、テンサイ及びパパイヤの８種類の農産物とそれらからつくられる加工食品です。「遺伝子組換えではない」という表示があっても、ダイズでも農家は組換えと非組換えの両方を栽培したりします。トラックや船で運ばれて食品製造業者に届くまでに混ざってしまうこともあるので完全な分別は無理なのです。そこで国は混入を5パーセント未満までは認めています。

豆腐や納豆は表示義務がありますが、油やしょう油にはありません。油やしょう油はタンパク質が分解されたり除去されたりしているので検査してもわからないからです。原料までふくめれば、かなりの遺伝子組換え食品を食べていることになります。

さまざまなバイオ手法で遺伝子を操作して品種改良された作物があるのに遺伝子組換え作物しか安全性試験がされていないことをふくめて考えると、表示を見て遺伝子組換え食品を避けているると言っても、「より安心・より安全」と言えないのではないでしょうか。結局は、より高い値段で購入することになるだけかもしれません。

私は、遺伝子組換え作物は、野生化や交雑が起こらないかどうかを監視するのが筋だと思います。

第6章　ホメオパシー・血液サラサラ・経皮毒・デトックス

1　ホメオパシー

ホメオパシーは、ギリシャ語で「同じ」という意味の「ホメオエ（homeoeo）」と「病気」を意味する「パシー（pathy）」を合わせた言葉で、西洋医学的医療に対する代替医療のひとつです。同種療法あるいは類似療法と訳されています。

「症状を起こすものは、その症状を取り去るものになる」、つまり「症状には症状をもって制する」ということが根本原則になっています。そこで、症状を起こすものを非常に薄めて砂糖玉にしみ込ませた〝レメディー〟を使うことにより、体に悪影響を与えることなく、症状だけを取っていくものとなるというのがホメオパシー療法です。レメディーにふくまれている成分の濃度は、サイエンスライターのマーティン・ガードナーが、「一滴のくすりを太平洋におとし、よくかきまぜてから、海水をさじ一杯すくいとるようなものである」と指摘しているほどの薄さです。

もっとも大きな問題点は、その有効性が臨床において科学的（統計的）に立証されていないことです。ときに有効性があってもプラセボ（偽薬）効果と見なされます。

欧米で、このような医療も走り出してしまい、広がってしまい、そこに利害関係が生まれ、科学的に否定されてもなくなることはないという状況があります。

日本学術会議の金澤一郎会長は２０１０年8月24日付で、左記のような談話を発表しました。ここにホメオパシーのニセ科学性について明確に示されています。

●の小見出しは私がつけました。

●科学的ではない！

最近の日本ではこれまでほとんど表に出ることがなかったホメオパシーが医療関係者の間で急速に広がり、ホメオパシー施療者養成学校までができています。このことに対しては強い戸惑いを感じざるを得ません。

その理由は「科学の無視」です。レメディーとは、植物、動物組織、鉱物などを水で１００倍希釈して振盪（しんとう）する作業を十数回から30回程度繰り返して作った水を、砂糖玉に浸み込ませたものです。希釈操作を30回繰り返した場合、もともと存在した物質の濃度は10の60乗倍希釈されることになります。こんな極端な希釈を行えば、水の中に元の物質がふくまれないことは誰もが理解できることです。「ただの水」ですから「副作用がない」ことはもちろんですが、治療効果もあるはずがありません。

物質が存在しないのに治療効果があると称することの矛盾に対しては、「水が、かつて物質が存在したという記憶を持っているため」と説明しています。当然ながらこの主張には科学的な根拠がなく、荒唐無稽としか言いようがありません。……

ホメオパシーに頼ることによって、確実で有効な治療を受ける機会を逸する可能性があることが大きな問題であり、時には命にかかわる事態も起こりかねません。こうした理由で、たとえプラセボとしても、医療関係者がホメオパシーを治療に使用することは認められません。……

●正しい科学を

日本ではホメオパシーを信じる人はそれほど多くないのですが、今のうちに医療・歯科医療・獣医療現場からこれを排除する努力が行われなければ「自然に近い安全で有効な治療」という誤解が広がり、欧米と同様の深刻な事態に陥ることが懸念されます。そしてすべての関係者はホメオパシーのような非科学を排除して正しい科学を広める役割を果たさなくてはなりません。

最後にもう一度申しますが、ホメオパシーの治療効果は科学的に明確に否定されています。それを「効果がある」と称して治療に使用することは厳に慎むべき行為です。このことを多くの方にぜひご理解いただきたいと思います。

ホメオパシーで用いられるレメディーには全く有効成分がふくまれていないので、効果がないかわりに副作用もないでしょう。しかし、ホメオパシーに入れ込む余り、本来の治療を受ける機会を逃したり、高価なレメディーに多大のお金をかけてしまったり、と間接的な危険がありま す。欧米ではさまざまな問題が起こっています。

わが国では、日本学術会議会長談話が出された前年の10月には、ビタミンK_2シロップを投与しなければならない生後２カ月の女児が代わりにレメディーを与えられて死亡したという事故がありました。その後、母親が約５６００万円の損害賠償を求めてレメディーを投与した助産師を提訴しました。これはその後、助産師側が和解金数千万円を支払うことで和解に合意して終わりました。

ホメオパシーでは、レメディー服用後に一時的に症状が悪化することを好転反応と呼びます。レメディーに有効成分がふくまれていないことを考えると、単なる病状の悪化でしょう。レメディー服用後の症状の悪化を自然治癒力が増した証拠の好転反応と信じて、医療機関での治療をまったく受けずに悪性リンパ腫で死亡した事例があります。

２　血液サラサラ

⑴　テレビ番組が火付け役

小内亨「健康情報を科学的に読み解く　第七回　血液サラサラ」『理科の探検（RikaTan）』誌（２０１０年10月号）を基に、「血液サラサラ」について見ていきましょう。

「血液サラサラ」という表現は、２０００年ごろからメディアに頻繁に登場するようになりました。流行の火付け役は、ＮＨＫの「ためしてガッテン」のようです。

それ以降、ためしてガッテンで継続的に取り上げられるようになり、あっという間に流行しました。「ためしてガッテン」のサイトで、２００６年8月30日放送「５００回記念！　徹底検証・血液サラサラの真実」のところに「9年前、ガッテンが火付け役となって以来ブームとなった『血液サラサラ』」という記述があります。

番組で血液の流動性を調べる装置ＭＣ－ＦＡＮの画像が示されました。毛細血管の径は平均7マイクロメートルに対して赤血球の径は8マイクロメートルですから、赤血球は変形しないと毛細血管を通ることができない。白血球も同様です。血小板は毛細血管径より小さいが、細い血管を通る際に凝集しやすい性質を持っています。その装置はシリコン基板に幅7マイクロメートルの溝を掘ることで人工的な毛細血管をつくり、そこに血液を流します。それによりこの機器は赤血球や白血球の変形能、血小板の凝集能（固まりやすさ）を見ているのです。

この装置で、血液がサラサラではない、つまり血液ドロドロだとしても、動脈硬化しているかどうかと関係がありません。毛細血管が詰まることと心筋梗塞や脳梗塞などの病気とは直接関連していないのです。これらの病気の原因である動脈硬化が起こるのは、毛細血管よりはるかに太い血管だからです。

この装置による検査は健康保険の対象になっていません。医療に使えるほどの定量性や再現性が弱いからです。

今でも「タマネギを食べると血液がサラサラになる」と言われたりしますが、それは1999年11月24日放送「さらにサラサラ　タマげた効果」の影響かもしれません。しかし、この番組は、人がタマネギを食べたときの血液を調べたものではなく、「生タマネギのエキスを加えた血液」を調べたものです。私たちは生タマネギのエキスを注射するわけではなく、タマネギを食べるのですから、この実験には何の意味もありません。

(2) テレビは見えないものを映像化した？

小内亨医師は、血液サラサラのテレビ番組について、次のように述べています。

ある人がテレビ関係者から聞いた話として、「テレビとは視聴者に夢を売る商売だ」という言葉を教えてくれました。MC―FANの映像を見ればそれぞれの人の血液がサラサラなのかドロドロなのか一発でわかるような気がします。私たちはテレビ番組が紹介した食品を食べるたびに、自分の血液が上から下へときれいに流れているあのMC―FANの映像を思い浮かべるでしょう。そして、自分は健康によいことをしているのだ、これで病気にならないのだと夢想します。このMC―FANは、私たちの目で実際に見ることができないものをあたかも見えているかのように仕向けるきわめてテレビ的な検査機器といえます。ですからこそテレビ番組が、まだ研究が始まったばかりでその意義も確立していないこの機器の映像を使ったのかもしれません。テレビ番組は「これを食べるとサラサラ血液となって健康によいかもしれない」という曖昧な情報を提供することで、視聴者に夢を見せているのかもしれません。

3　経皮毒はウソ

経皮毒というのは、皮膚を通して吸収される毒ということのようです。経皮毒の恐怖をあおって、皮膚から吸収された化学物質が吸収されて、その後、子宮などの臓器に「毒が蓄積される」という本がベストセラーになりました。ここで毒というのは、日用品にふくまれている有害化学物質のことを指しています。普段使用しているシャンプーやリンス、化粧品、洗剤、入浴剤など、たくさんの日用品には経皮毒の影響を及ぼす有害化学物質がふくまれていると言います。ネットには、産院で「赤ちゃんが生まれた瞬間、胎盤からその人が使っているシャンプーのにおいがぷ～んとする」などという話が出回っています。

皮膚は表面側から見て、大きく表皮・真皮・皮下組織という3つの層からできています。皮膚の一番表面にある表皮は「角質層・顆粒層・有棘層・基底層」の4つの層からできています。

医薬品の中には角質層を超えて体内まで吸収されるものもありますが、日用品のなかにふくまれている化学物質は、せいぜい表皮の角質層まで行ける程度です。たとえば皮膚にコラーゲンを塗っても体内に吸収されません。シャンプーのなかの界面活性剤なども体内に吸収されないのです。

経皮毒にまったく科学的根拠はないのに、某ネットワークビジネスの勧誘者が、経皮毒で日用品の恐怖心を煽って、肌からその毒が体に入り込むとして高額な「自社製品のみが安全」であるとして勧誘したことが問題になりました。経済産業省は、２００８年、このネットワークビジネス業者に対して、経皮毒の説明が客観的事実と異なるとして、３カ月の業務停止命令を出しました。調べによると業者も自社の製品に効能がないことを認めたということです。

４　フットバスで足裏デトックスの仕掛け

経皮毒と併せて語られることが多いものにデトックスがあります。デトックスは、体内にたまった有毒な物質を排出することを言います。日本語で「解毒」を意味します。デトックスと称して、健康食品・サプリメントや健康機器が販売されています。

(1)　足裏から毒素が出ているの？

デトックスフットバスという機器があります。イオンデトックスとも言われるようです。足湯みたいに機器の中のお湯に足をつけて、精製塩を１～２グラム入れてスタンバイ。お湯は無色透明。スタートボタンを押すと、機器の中に汚い茶色の綿状のドロドロが浮き上がってきます。

機器の販売業者は、「この機器で、汚染された水、空気、食品、薬品などによって体内に蓄積されたダイオキシン、水銀やカドミウムなどの毒素を足裏から排出しています。こうして体内が浄化されます」と言います。見た目に汚らしくドロドロになるのですから毒素が「出たぁ」という感じになります。

ところが足を入れないでやっても同じようになるのです。どうも茶色のドロドロは足裏から出ているのではなく、機器の中から出ています。

機器の販売業者によっては、茶色のドロドロは足裏から出た毒素だという説明をするものが多いのですが、足を入れないでも出てきてしまうと、別の説明をする業者もいます。「あのドロドロの液体は、マイナスイオン。体内の毒素はプラスイオンなので、あのドロドロが体内の毒素を引き出す働きをするのです。それで分析すると疲労物質の乳酸もちゃんと出ていることがわかっています」などと。

お湯に足をつけておけば汗をかきます。汗には乳酸塩もふくまれているから乳酸が検出されるのは当たり前。その乳酸塩は水に溶けて「陰イオン」の乳酸イオンにもなっています。

乳酸＝疲労物質という現在は否定されている説を持ち出したり、科学用語っぽいものを多用して無知な消費者をたぶらかしているようです。

さらに機器によっては、圧力をかけて初めて作動するようにして、足を入れないときは茶色のドロドロが出てこないように工夫しているものもあります。それで茶色のドロドロは足裏から出ていることを印象づけているのです。

(2) 電極が溶けている

機器には鉄などをふくんだ電極（たとえば鉄が主成分のステンレス製）が入っています。塩化ナトリウム水溶液を鉄電極を入れて電圧をかけると電気分解という化学変化が起こります。汗をかけば、汗の成分のナトリウムイオンやカリウムイオンなども出てくるので余計電気分解が進みますが、微量なのでもともとの塩化ナトリウム水溶液がもっとも効いていることでしょう。

学校の理科実験で使うような炭素電極や白金電極なら電極は溶け出しませんが、鉄電極は鉄などが溶け出す反応も起こります。できるのは主に水酸化鉄（Ⅲ）。これがドロドロの正体です。ニッケルなど他の金属もふくまれていれば、それも溶け出します。このような電極が溶け出すような電気分解は高等学校の化学で学びます。たとえば硫酸銅（Ⅱ）水溶液を銅電極を用いて電気分解すると陽極の銅が銅（Ⅱ）イオンとなって溶け出します。デトックスフットバスの茶色のドロドロが電極が溶けだしているということを見抜くのは高等学校の化学の知識が必要なのです。

また、機器の電極からは水素も発生します。水酸化鉄（Ⅲ）は、この細かな泡がくっついて浮き上がってくるのです。

足湯で足から出ている汗と比べて、全然違う物質が出ていることや汗と同じ物質でも汗よりもずっと多量に出ていることを証明しないと体内から毒素が出ていることを言えません。ダイオキシン、水銀、カドミウム、ヒ素あたりのデータですが出せるはずもないでしょう。

体験者は、あの茶色のドロドロを見て、「毒素が出たぁ！」と思うようですが、それはあくまでも心理的な効果です。

もちろん、温泉の塩化ナトリウム泉の足湯に浸かった効果はあるでしょうが、デトックスで毒素が出ていると信じてはなりません。

第7章　食品添加物をめぐるニセ科学

1　さまざまな食品添加物がある

(1)　食品添加物とは

人類の長い歴史のなかで、大半の食物は山野、河川、海域で採取された動植物そのものでした。やがて人は栽培、飼育することを学びました。また動植物を焼き、蒸し、煮る、干すことができるようになりました。広い意味での食品の加工のはじまりと言えるでしょう。広い意味での食品の加工とは、使用目的で言えば、食品の製造、食品の加工、食品の保存のことになります。

しかし、19世紀末から20世紀にかけて、人類は動植物食品を生産する過程で、農薬、医薬品などを使用するようになり、さらにそれらの素材を加工するときに色、味、香りをつけるための物質を加えたり、腐敗、変質、酸化を防ぐための物質を加えるようになりました。このように食品の製造、食品の加工、食品の保存に際して加える物質を食品添加物と呼んでいます。

食品衛生法では、食品添加物を、「食品の製造の過程において、又は食品の加工若しくは保存の目的で、食品に添加、混和、浸潤その他の方法によって使用するもの」と定義しています。つまり、食品をつくる過程や、食品の加工もしくは食品の保存のために、食品に入れたり、混ぜ合わせたり、しみ込ませたりするなどの方法で食品に加える物ということです。

(2) 目的により分類した食品添加物

食品添加物は、大きく化学的合成品と天然物とに分けられます。

食品添加物を、使用する目的により分類すると、味覚や香り、色あい、食感を整えるなど嗜好性を高めることを目的としたものには、調味料、甘味料、酸味料、着香料、着色料、発色剤、漂白剤などがあります。

食品の変質、腐敗を遅らせ保存性を高めるものとしては、保存料、殺菌料、酸化防止剤、防カビ剤があります。

その他、品質を改良する目的で糊料（増粘剤、安定剤、ゲル化剤）、乳化剤、pH調整剤などが用いられます。また、栄養強化のためにアミノ酸、ビタミン、ミネラルなどの強化剤が使用されます。

2 安全性はどのように評価している?

(1) 安全性の試験とヒトの1日摂取許容量ADI

毒性は、大きく分けると、一般毒性と特殊な毒性があります。

一般毒性には、急性毒性(24時間以内の毒性効果)、亜急性毒性(3~12カ月の毒性効果)、慢性毒性(長期間反復した場合の有害効果)があります。

特殊な毒性には、催奇形性(奇形をおこす毒性)、変異原性(大腸菌に突然変異を引きおこす毒性)、発がん性、繁殖に関係する毒性(生殖機能や新生児の生育への影響)などがあります。

安全性試験は、ラット、マウスやウサギなどの動物に試料を与え、毒性を評価します。1年以上にわたって毎日一定量の試料を与え、その影響を調べます。

この結果から、毎日一定量の試料を一生食べ続けても異常が出てこないとされる最大無作用量(1日の摂取量)を推定します。最大無作用量(1日の摂取量)をそのまま使うのではなく、さらに安全な量になるように、動物とヒトの差、ヒトの個体差などを考慮して、100分の1の安全率(物質によっては、さらに小さい値)をかけます。つまり、動物実験からは異常が出てこない最大無作用量(1日の摂取量)の100分の1の量を考えるのです。それがヒトの1日摂取許容量(ADI)です。1日摂取許容量(ADI)は、1日あたり、体重1キログラムあたりでその物質

無毒性量と ADI

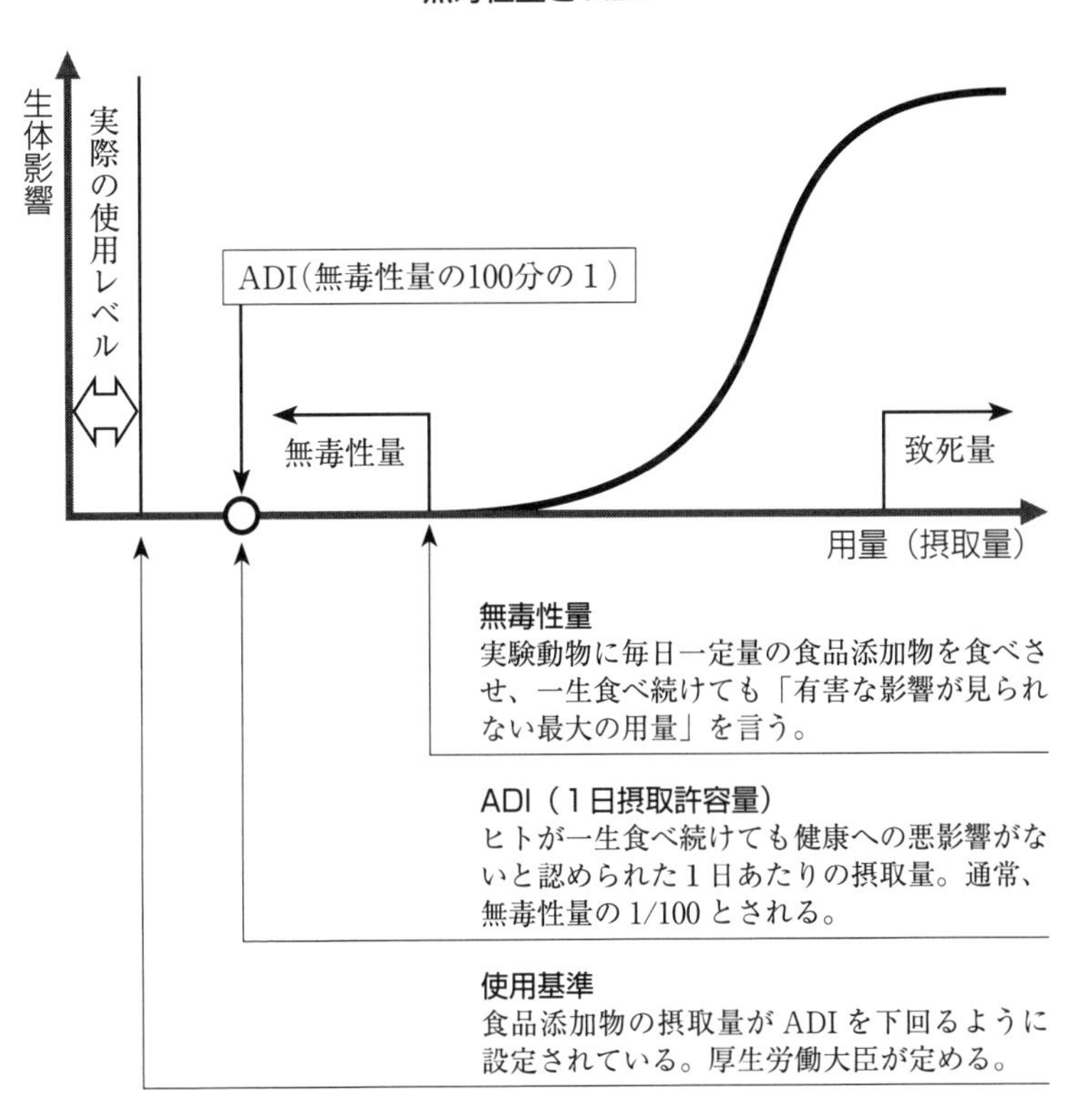

注：人に有害な影響を与えない量で、有用な作用のあるもののみが、食品添加物として許可されている
参考：食品安全委員会資料

何ミリグラムかを表します（単位は、mg/kg 体重/day）。

(2) 安全性試験の問題点

ここでの問題点は、食品添加物の安全性は動物実験で評価していて、ヒトでは行っていないということです。毒性試験はヒトで行うことはできないのはわかりますが、動物実験の結果がヒトにあてはまるかどうかは疑問です。そこで安全率をかけていますが、その根拠は弱いです。実験動物とヒトの種差で10分の1、ヒトの個人差で10分の1と言われたりしますが、それが妥当で信頼性がある安全率かどうかはわかりません。私はそこで、後で紹介する日本生協連があげている食品添加物についての規準を参考にするとよいと思います。

(3) ADIを十分下回るように

厚生労働省は、薬事・食品衛生審議会食品衛生分科会において、日常の食事を通して摂取される食品添加物がADIを十分下回るように、使用基準などを定めるなど安全性の管理を行っています。

かつての厚生省は、スーパー等で売られている食品を購入し、その中にふくまれている食品添加物量を分析してはかり、その結果に国民栄養調査に基づく食品の喫食量を乗じて摂取量を求める方法（マーケットバスケット方式）で、食品添加物の摂取量を調査しました。それで90年代に、日本人は1日平均10グラムの食品添加物を摂取していると公表しました。この10グラムにはもともと食品にふくまれている成分も一緒にカウントされています。その大部分は食品の中にあったものです。食品添加物として外部から加えられたのは約1グラム程度です。

3　よく危険だと言われる食品添加物は本当に危険か？

ベストセラーになった『買ってはいけない』（『週刊金曜日』ブックレット、2005年）などで危険な添加物としてあげられているものに保存料のソルビン酸類や甘味料のアスパルテームなどがあります。その2つについて、本当に危険かどうかを見てみましょう。

(1)　ソルビン酸類

ソルビン酸類は、殺菌剤のような強力な抗菌力はありませんが、カビ、酵母、細菌の増殖を抑える働きがあり、幅広い効き方を示します。

天然には、ソルビン酸は、未だ成熟していないナナカマドの果汁中に見られますので、ナナカマドの学名がソルビン酸の名前の由来です。

ソルビン酸はチーズや練り物などに、ソルビン酸カリウムはパンなどに広く用いられています。

『買ってはいけない』は、ソルビン酸とソルビン酸カリウムを性質や毒性がほぼ同じとしていました。しかしそれは誤りです。ソルビン酸は、水に溶けにくくアルコールにはよく溶けますが、ソルビン酸カリウムは水に溶けやすいです。ですから、水分が多い食品には、ソルビン酸カリウムが使われています。

ソルビン酸の1日摂取量は先のマーケットバスケット方式で13・6ミリグラム。ADIは25 mg/kg 体重 /day で体重50キログラムの人で1日に1250ミリグラムですから摂取量のADIに占める割合は1・1パーセントに過ぎません。

ところが松永和紀さんによると、食品添加物バッシングでソルビン酸が嫌われたためにメーカーは「保存料」と名がつかないアミノ酸の一種のグリシンや酸味料の酢酸ナトリウムを用いるようになっているということです。これらは効果が弱いので多量に添加せざるを得ず、味が落ちるとともに保存期間が短くなり廃棄率が高まっているというのです（『メディア・バイアス　あやしい健康情報とニセ科学』光文社新書、2007年）。

(2) アスパルテーム

アスパルテームは人工甘味料のひとつ。2つのアミノ酸、すなわちアスパラギン酸とフェニルアラニンが結びついたもので、消化されるとアミノ酸に分かれます。

砂糖の200倍もの甘みをもつ低カロリーの甘味料です。ということは、200ミリリットルのジュースに0・2グラム前後しか入っていません。

アスパルテームの1日摂取量は先のマーケットバスケット方式で5・9ミリグラム。ADIは40mg/kg 体重 /day で体重50キログラムの人で1日に2000ミリグラムですから、摂取量のA

ＤＩに占める割合は０・３パーセントほどに過ぎません。

安全な物質ですが、フェニルケトン尿症という遺伝病を持った新生児だけは避ける必要があります。フェニルケトン尿症の新生児は、フェニルアラニンを多量に摂ると知能に障害をもたらすためです。約８万人にひとりという患児だけは要注意です。ただし、現在、新生児（生後５日〜７日）にスクリーニング検査を行うという制度ができて、早期診断・早期発見の態勢が整っています。

４　天然物、無添加食品は安全か？

(1)　どんな食品もリスクゼロではない

「天然」＝「安全」ではありません。どんな食品でも、リスクはゼロではありません。
天然物でも以下の４つのリスクがあります。

①　アレルギー（小麦・卵・落花生など）
②　食中毒（カキなど）
③　ヒ素やカドミウム、水銀（米や魚など）
④　（③以外の）有毒化学物資（フグ・野菜・果物など）

(2) 天然農薬の存在

「無農薬野菜」は、虫の食害に対抗するために野菜自身が多種類の防虫成分（天然農薬）をつくり出していて、健康に悪い影響を与える可能性があります。この天然農薬は、毒性学の第一人者であるカリフォルニア大学のエイムズ教授が１９９０年に米国科学アカデミー紀要に発表した論文で有名になりました。虫の食害を受けるとそれら天然農薬は爆発的に増えると言います。教授は天然農薬のうち52種類を調べたところ、27種類は発がん性物質でした。その中にはパセリなどのメトキサレン、キャベツなどのアリルイソチオシアネート、ゴマのセサモールなどがあります。

未熟なジャガイモを日に当ててしまい皮が緑色になったものを食べて食中毒がよく起こっていますが、未熟なジャガイモや芽、日に当たって緑色になった部分にはソラニン類という毒性物質が多いのです。これも天然農薬です。未熟なうちや土から出た芽などが外敵に食べられないように毒性物質を多く蓄えるのでしょう。

虫の食害を受けた野菜の傷口にカビがはえて、そのカビ毒も考えられます。

最近は、「無添加」をうたい文句にしている商品が増えてきていますが、それらは、本当に安全と言えるのでしょうか。昔と違って、今の食品は低塩分、低糖度のものが多いので、より微生物が繁殖しやすい状況にあります。低塩分、低糖度のままで無添加にしてしまうと、日持ちしない可能性が大いにあるのです。

実は、食品の安全でもっとも重視しなくてはならないのは食中毒を防ぐことです。厚生労働省に報告された食中毒は年間１０００件前後、２０１３年で、９３１件、患者数約2万人でしたが、実際には、報告されているのは氷山の一角でしょう。この食中毒の統計は、患者を診断した医師が保健所に報告し、さらに保健所から都道府県の衛生部、衛生部から厚労省へと報告したものをまとめたものです。医師にかからない人がいたり、かかったとしても医師が保健所に報告しなければ統計にはあがってきません。

米国では、能動的、積極的な疫学調査を行っていて食中毒の実際の発生状況の推定がなされています。これによれば年間６５０万人～３３００万人と推測されています。米国の人口は日本のほぼ倍あるので、日本では米国の半分程度と推測できます。大雑把に年に１０００万人と考えても大袈裟（おおげさ）ではないでしょう。

保存料がなければ、食品は腐敗しやすくなり、Ｏ１５７、ビブリオ腸炎、サルモネラ菌などによる食中毒が多発することになるでしょう。食品添加物と食中毒のリスクでは、食中毒のほうがずっとリスクが大きいかもしれないのです。

食品の劣化が早まり、経済的にもマイナスになる可能性が大いにあることでしょう。

5　日本生協連のCO・OP商品の食品添加物規準

生協運動の目的は「生活の質の向上」です。そのひとつに食生活の安定・安全・安心のための取り組みがあります。

日本生協連（東京都渋谷区）は、国が指定する食品添加物の中からとりわけ安全性に疑問があるとされた添加物の安全性について学者・専門家と日本生協連の職員で構成される「食品添加物研究会」で検討。それまでの日本生協連のＣＯ・ＯＰ商品の食品添加物規準を見直し、２０１３年4月からその変更した基準でＣＯ・ＯＰ商品をつくっていくことを発表しました。

それまでは使用に配慮が必要な食品添加物を、管理添加物と保留添加物に分け、さらに管理添加物は、さらに「不使用品目」「留意品目」とに分けていました。

不使用品目は、毒性上の問題が具体的に指摘され、必要性が低いと判断した添加物。国に指定削除を求めるもので23品目。

留意品目は、毒性があるとの指摘があるが、消費者に明らかに有用性が認められるもので42品目。使用に際して成分規格、使用基準などに細心の注意を払い、併せて必要最低量に、また使用をできるだけ回避するための技術開発、あるいは有効な代替品目の検討に努めます。

保留添加物は、安全性評価が現時点で終わっていないので、今後安全性評価をすすめるもので39品目。

見直した結果、今後は、ＣＯ・ＯＰでは意図的に使用しない不使用添加物12品目、ＣＯ・ＯＰ独自に使用を制限して利用する使用制限添加物42品目をあげています。

不使用添加物とは、①遺伝毒性発がん物質と考えられるもの　②ＡＤＩが信頼できる機関で設定されておらず、日本生協連としてそれを補う科学データが入手できなかったもの　③安全性に関する科学的なデータが入手できず、成分・規格等に懸念される情報があるものです。

【不使用添加物】

用途	名称
保存料	デヒドロ酢酸ナトリウム　パラオキシ安息香酸イソブチル　パラオキシ安息香酸イソプロピル　パラオキシ安息香酸ブチル　パラオキシ安息香酸プロピル
着色料	食用赤色104号　食用赤色105号　単糖・アミノ酸複合物　骨炭色素　ヘゴ・イチョウ抽出物
製造用剤	臭素酸カリウム（小麦粉処理剤）　グレープフルーツ種子抽出物

使用制限添加物とは、不使用添加物における3つの条件には該当しませんが、懸念される問題点の指摘があるものです。

懸念される問題点とは、①添加物を生成するときや使用した場合に発生する不純物などに安全上の問題があるもの　②製品としての添加物の純度など成分規格に不十分点があるもの　③国が評価していない新しいリスク要因が懸念されるものです。

具体的には、①使用できる食品の対象範囲の制限　②使用量や残留量の制限　③成分規格の指定のような手法で使用制限します。

【使用制限添加物】

用途	名称
保存料	安息香酸　安息香酸ナトリウム ツヤプリシン（抽出物）　ペクチン分解物 ε-ポリリシン
着色料	食用赤色40号及びそのアルミニウムレーキ　食用赤色106号 植物炭末色素　食用黄色4号及びそのアルミニウムレーキ 食用黄色5号及びそのアルミニウムレーキ 食用青色2号及びそのアルミニウムレーキ 二酸化チタン　ラック色素 アルミニウム　ログウッド色素
甘味料	カンゾウ抽出物　カンゾウ末 α-グルコシルトランスフェラーゼ処理ステビア　ステビア抽出物 ステビア末　酵素分解カンゾウ ブラジルカンゾウ抽出物　L-ラムノース
増粘安定剤	サイリウムシードガム　ファーセレラン ウェランガム　エレミ樹脂　レバン　カラギナン

防カビ剤	イマザリル　チアベンダゾール オルトフェニルフェノール　オルトフェニルフェノールナトリウム
酸化防止剤	グアヤク脂　エチレンジアミン四酢酸二ナトリウム 酵素分解リンゴ抽出物　ブドウ種子抽出物
乳化剤	ポリソルベート20　ポリソルベート60 ポリソルベート65　ポリソルベート80
製造用剤	過酸化ベンゾイル（小麦粉処理剤）
ガムベース	マスチック

6　急性毒性のものさしのひとつLD50と食塩

かつて日本に徴兵制があったとき、男性は20歳になると身体検査をメインとする徴兵検査がありました。徴兵されにくくするために、検査の前にしょう油を大量に飲んだ人たちがいたと言われます。顔色は青くなり、心臓の鼓動が激しくなるので、心臓病として徴兵検査で最下位レベルの「丙種（へいしゅ）」のランクになると言います。しかし、ときとして、それが引き金になってもう簡単には治らない病気になってしまったり、死んでしまう場合もあったようです。

しょう油は強いうま味を持っています。それはとくにグルタミン酸というアミノ酸です。しょう油では糖質や有機酸なども合わさってうま味が強いです。グルタミン酸は、うま味調味料に使われるグルタミン酸ナトリウムの大量摂取が「中華料理症候群」(頭痛、顔面紅潮、発汗等)として話題になったことがありますが、現在では詳しい調査の結果、中華料理症候群とグルタミン酸ナトリウムの摂取は無関係とされています。

しょう油の大量摂取で問題になるのは食塩(主成分:塩化ナトリウム)なのです。

一般のしょう油は、塩分濃度が約16パーセント。しょう油1リットル中には約180グラムの食塩がふくまれています。

LD50(半数致死量)という、投与すると実験動物を半数死亡させる投与量があります。体重1キログラムあたりに換算して数値化したものです。

食塩のLD50は、体重1キログラムあたり3~3・5グラム。文献によって若干違います。仮に食塩のLD50を体重1キログラムあたり3グラムとして、体重60キログラムの人を考えると、180グラムで半数が死ぬことになります。これはしょう油1リットル分です。

身近な食塩でさえも大量摂取は危険なのです。

第8章　脳をめぐるニセ科学

1　脳のしくみと働き

脳のほとんどは、表面は厚さ数ミリメートルの大脳新皮質におおわれています。表面積は新聞紙半分程度。大脳新皮質は神経細胞（ニューロン）がぎっしりと集まっているので、灰色がかったピンク色に見えます（灰白質）。

ひとつの神経細胞からは、長い「軸索」と、木の枝のように複雑に分岐した短い「樹状突起」が伸びています。これらの突起は、別の神経細胞とつながり合っています。

米粒一つ分の体積の大脳皮質の中には100万個のニューロンがふくまれています。大脳皮質をふくめ、脳全体では、1000億個のニューロンがあると推定されています。

内部は軸索などの神経繊維が集まった大脳髄質で、こちらは白く見えます（白質）。この中に大脳基底核と呼ばれる神経核（神経細胞体の集まり）があります。古い皮質（古皮質・原皮質）は内側に入ってしまい、大脳基底核とともに大脳辺縁系になります。

大脳新皮質は意識して行う精神活動や行動にかかわっています。大脳辺縁系は記憶や情動、本

神経細胞（ニューロン）

神経細胞、神経細胞体、軸索、樹状突起、神経終末
（神経細胞１個の中で細胞体側を「中枢側」、神経終末側を「末梢側」とよぶ）

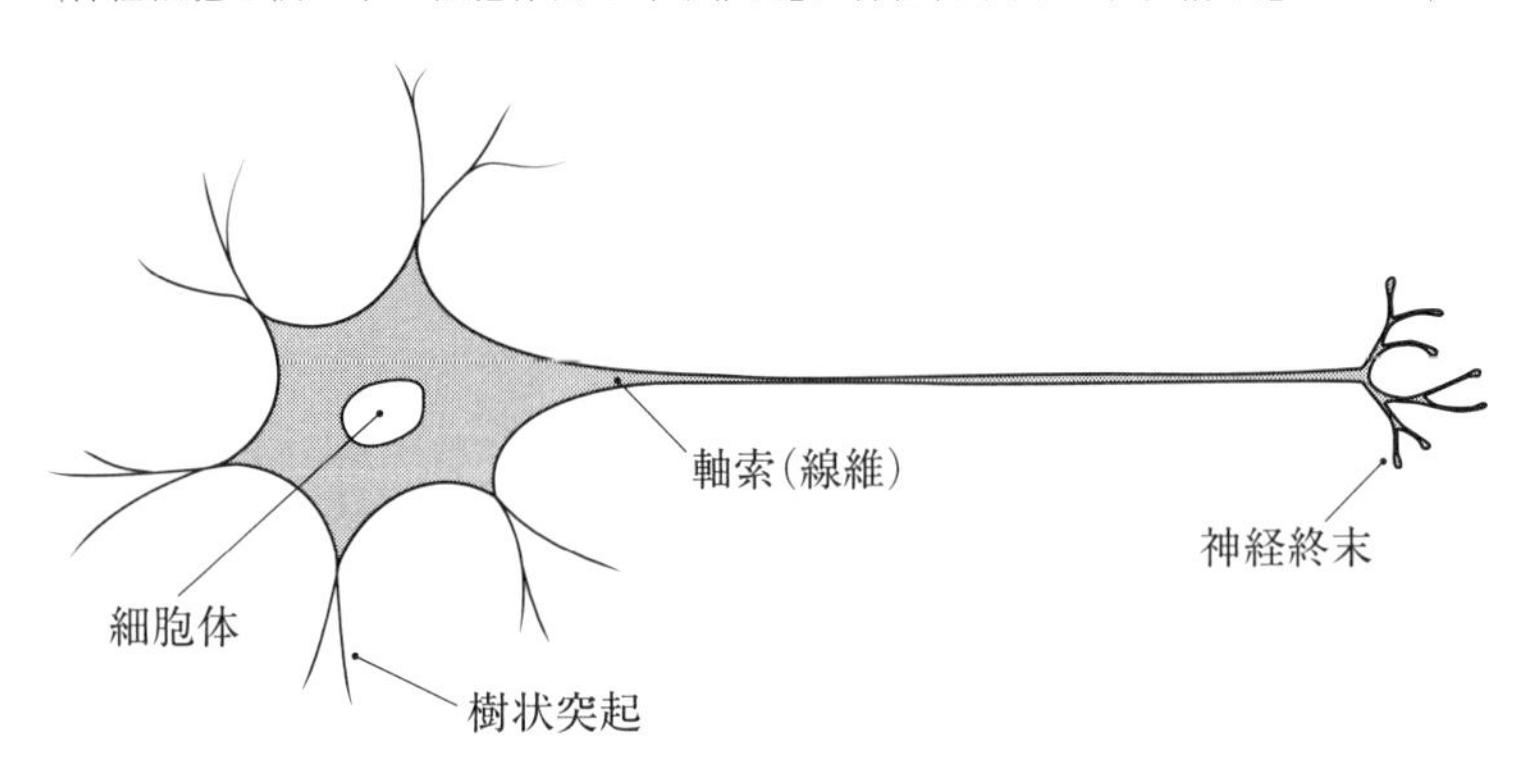

能的な行動にかかわっています。脳の機能は場所ごとに決まっており、すべて重要な役割を担っていることが明らかになっています。

脳は１２００から１５００グラムです。脳は休むことなく、常に活動しているので、脳だけで体全体が使うエネルギーの２割程度使うと言われます。

大脳は身体のさまざまなところから情報を受け取っているので、それらを総合的にまとめて分析したり判断したりしています。

２「神経神話」に注意

脳にかんする情報には、昔から多くの人に信じられているものもふくめて、誤った情報や、根拠のない情報が少なくありません。

経済協力開発機構（ＯＥＣＤ）教育研究革新センターは、それらの不適切な情報のうち、とくに

影響力の強いものを「神経神話」と名づけて、注意を促しています。

その神経神話には「私たちは脳の10パーセントしか利用していない」や「右脳型の人と左脳型の人がいる」などがあります。前者は、脳には多くの隠れた能力があって、それを使い切っていないという主張です。これは、脳の各部位の働きがよくわかっていなかった時代に生まれた考え方です。後者は、右脳型は直観的であり、左脳型は論理的だというのです。この主張は、脳の左右両半球は異なる役割を担っているという事実からきていると考えられます。しかし、ある個人の脳における左右両半球の働きの違いと、個人間での右脳が優位か左脳が優位かという違いは、別のことがらであり、個人間の違いが存在することを示す証拠はありません。

３　ゲームをやりすぎると「ゲーム脳」になる？

⑴　脳波とは？

神経細胞は、活動電位という急激に立ち上がり、ごく短い継続時間でまた急激に降下するような波形の電気信号を神経終末に送ります。神経終末は他の神経細胞の先っぽに接していてシナプスと呼ばれます。そこに情報を送るときには、電気ではなく神経伝達物質を使います。神経伝達物質を受けた他の神経細胞はシナプス電位という電気信号を発するのですが、この電位が十分に大きくなると活動電位を発生するようになり、その電気信号が神経終末に送られる……ということが行われて情報が神経細胞間を伝わっていきます。

脳波は、神経細胞からなる大脳皮質の表面近くに位置する多数の神経細胞に生じたシナプス電位や活動電位などの電気的な変動を頭部に付けた電極でとらえ、増幅し、波形として記録したものです。脳波から覚醒・睡眠の別、脳の機能障害（てんかん、意識障害など）の有無及びその程度や広がりなどを知ることができます。

基礎的な脳波には、アルファ波とベータ波があります。他にデルタ波やシータ波もあります。周波数（1秒間に繰り返す波の数）は、アルファ波が8～13ヘルツ、ベータ波が14～30ヘルツです。

健康な成人の覚醒、閉眼、安静時の脳波はアルファ波にベータ波が混入しています。開眼、計算などの精神作業でアルファ波が消え、ベータ波に置き換わります。

(2)「ゲーム脳」の主張

２００２年に森昭雄『ゲーム脳の恐怖』（ＮＨＫ出版）がベストセラーになり、ゲームばっかりしていると、「ゲーム脳」と呼ばれる状態になってしまうという話が大きな話題になりました。

森氏は独自開発の簡易脳波計でゲーム中の脳波を測定してみたと言います。その結果、「ゲームをやっていると脳波の中のベータ波が下がる、この状態が長く続くとベータ波が上がらないゲーム脳人間になってしまう」と主張しました。「いつもゲームをしている人は認知症患者と同様の脳波の特徴を示す」ことを見つけたとして、「その特徴は前頭葉機能の低下を意味している」、

「ゲームをやりすぎることがその低下を引き起こし、『切れる』子供や少年犯罪の増加の原因になっている」などというのです。

(3) 「ゲーム脳」への批判

山本弘さんが『ニセ科学を10倍楽しむ本』（楽工社、２０１０年。ちくま文庫、２０１５年）や『謎解き　超科学』（彩図社、２０１３年）に的確な批判を載せているのでそれを紹介しましょう。

①　森昭雄氏は脳や神経の研究の専門家ではない。そのため脳波に関する基本的な知識が欠落している。アルファ波を「徐波」（アルファ波より周波数の低い脳波）とするなど『ゲーム脳の恐怖』は間違いだらけである。

②　本書をよく読むと、「ゲーム中の脳波は、健常者の安静時の脳と似ている」という理屈になってしまう。つまり、「安静にするのは危険」となってしまう。

③　「ゲーム脳防止」のために運動を推奨しているが、運動でもゲームでも同じ脳波の動きが出ている。それにもかかわらず、運動はよくてゲームは悪い、としている。

④　独自開発の簡易脳波計は脳波にはデルタ波やシータ波もあるのにアルファ波とベータ波しかはかれないようだ。つくった会社も自動券売機や自動販売機、水分計などをつくっている会社で医療機器メーカーではない。脳波のはかり方もでたらめだ。

実は同様の方法で他の機関が測定してみたところ、森氏がベータ波だと思っていたのは本物の脳波ではなくノイズであったらしい。

⑤　アメリカでも日本でも、未成年者による殺人事件はこの半世紀で大幅に減少している。暴力的なゲームはむしろ増えているのに、事件は減っている。

その上で、〝無論、ゲームにまったく害がないとは断言できない。子供が1日に何時間もゲームに没頭していたら、成績は下がるだろう。それに、親が週に15時間も子供にゲームをやらせたり、子供が成人向けのゲームをやっているのに気づかないほど無関心だったりするのは、とうてい教育上良いとは言えない。

しかし、それはゲームではなく親の責任だ。「ゲームばかりしていないで勉強しなさい」と叱ればすむことである。

「ゲーム脳」は明らかに科学の皮をかぶったニセ科学である。そんなものを子供に教えるのは、逆に子供にとって有害だ〟と述べています（『謎解き　超科学』）。

鈴木貴之さん（南山大学准教授）は、「ゲーム脳理論が正しいかどうかを明らかにするには、ゲームを長時間やっているかどうかという点以外には違いがない二つのグループについて、学業成績や問題行動などを比較しなければならない。しかし、そのような調査は、これまで行われていない。したがって、現時点では、ゲーム脳理論を信じるべき理由はないのである」と述べています（『理科の探検（RikaTan）』誌、２０１４年春号95ページ）。

４「脳トレ」は効果があるのか？

脳トレ理論によれば、単純な計算や漢字の読み書き、音読などを繰り返すことで、脳、とくに前頭前野を活性化し、知的能力を高めたり、老化による脳の機能低下を防止したりできると言います。

脳トレの効果を示す研究として知られているのは、東北大学の川島隆太教授らによる研究です。

脳トレの根拠のひとつが「簡単な計算問題を速く解いているときは、脳の広範囲が『活性化』されることを機能性ＭＲＩで確かめた」というものです。これは脳のどの場所が働いたかを、そこに集まる血液からの信号で調べるという方法です。脳のどこの血流量が相対的に他の場所に比べて増えたかがわかります。血流量の上昇は、その部位の神経活動の上昇を意味しますが、その場所の働きがよくなったことを意味するのではありません。その血流量の上昇を称して脳の『活性化』としていますが、脳全体が活動しているからといって創造力や記憶力などの知的能力が高まっているとは言えません。血流量が上昇した場所、いわゆる『活性化』した場所が赤く色づけされた脳画像などを用いて示されると、脳科学者ではない私たちは、それをいかにも科学的であり、信頼するに足る情報であると考えてしまいがちです。そんな画像や「活性化」という言葉であたかも脳の性能や機能が高まると誤解させています。

川島教授らの老人ホームに入所している認知症の高齢者を対象とした研究では、参加者の半数には、自由時間に、小学校中学年レベルの計算や漢字の読み書きなどのドリルを1日20分、週に数回行わせ、残りの半数には、各自の好きな活動をさせました。そして、半年の実験期間の前後を比較したところ、ドリルなどを行った人たちは、前頭葉の機能検査テストの成績が上がったのに対し、何もしなかった人たちは成績に変化がなかったと言います。

この研究結果への疑問は、脳トレをした半数は、脳トレをすることで世話係とのコミュニケーションが増えたことがもっとも影響を与えた可能性があるということです。『脳ブームの迷信』（飛鳥新社、２００９年）を書かれた藤田一郎さん（大阪大学教授）は、被験者になったお年寄りには、週に2～5回、川島教授のスタッフがつきそって、トレーニングのやり方を教えたり、アドバイスしたり、いろいろおしゃべりもしていた。脳トレそのものより若い人との交流で認知症が改善した可能性があるというのです。残りの半数の「好きな活動をさせた」場合とはコミュニケーションの質と量において雲泥の差があるのでしょう。

イギリスの『ネイチャー』誌に、２０１０年4月21日にロンドン大学などの1万人以上を対象にした実験の結果が発表されました。コンピューターを利用した脳トレは、健康な人の思考力や記憶などの認知機能を高める効果は期待できないことがわかった、脳トレを続けたグループでは、ゲームの成績は向上したが、論理的思考力や短期記憶を調べた認知テストの成績はほとんど向上しなかったという結果でした。

第9章　雲をめぐるニセ科学

1　雲の基礎知識

空をながめていると、空の様子がいつも変わっていることに気づくことでしょう。美しい青い空に、白い雲がわいてぽっかり浮かんだり、朝のうちは晴れていたのに昼すぎには空一面が黒い雲におおわれて雨が降り出したり、降り続けた雨がやんで、雲がうすくなり、雲のすき間から太陽の光が地面を照らしたりします。まるで人の顔の表情のようで、空の表情といってもよいでしょう。

雲の量や雨、雪などをともなう空の表情のことを天気と言います。天気は、気温、湿度、風、雲の量、どこまで見えるか、雨、雪、雷などの要素を一つに合わせてまとめた大気の状態のことです。

天気の要素の中で雲は中心のひとつ。そこで雲についての基礎知識をふり返りながら、地震雲などのニセ科学を見ていきましょう。

空気の中には目に見えない小さな水の分子がふくまれています。これは、水の気体状態の水蒸気です。水蒸気ではとても小さな水の分子がばらばらになっているので、その粒を絶対に見ることができません。

水滴や氷の粒になると目に見えるようになります。空気中の水蒸気が空で冷えて、小さな水滴になったり、空高くでは氷の粒になったりしたものが雲です。雲をつくっている水滴や氷の粒の大きさは、だいたい直径が０・００１〜０・１ミリメートルくらいです。雲としては水滴が小さな「霧」でも、その一粒には約一京個という水分子が集まっています。

水蒸気が冷えて水滴や氷の粒になるときには、空気中のエアロゾル（微粒子）などが凝結核になっています。それは、海の波のしぶきが風に流されている間に水が蒸発してできた塩分の結晶や、燃料を燃やしたときの煙の成分などです。

2 雲を「〝気〟で消す」マジック

『水からの伝言』の江本勝氏は、『波動の人間学』（ビジネス社、１９９４年）の中で、次のように述べています。

セドナまで後50㎞位になった時、レンタカーの助手席に座っていたN社長が、突然〝江本さん、あそこに小さな雲がありますね。よく見てくださいよ。私が今からあの雲を消して見せますから〟と言い出した。私とK社長は半信半疑ながら、その雲をじっと見つめていた。

ところが1分くらい経ってから、明らかにその雲の形が変化を見せ、どんどん小さくなってゆき、何と5分後位には完全に消えてしまったのである。

「え!?　一体全体これはどういうことなんですか?」と我々はN社長に訊ねた。

N社長は次のように説明してくれた。

「ベティー・シャインさんという方の著書に『スピリチュアル・ヒーリング』と言う本があるのですが、その中で彼女は次のように言っているのです。

『肯定的な態度を志向し、心を広げる（心のエネルギーを高める）と、この現実界の背後にある目に見えぬ広大な世界にある、無尽蔵のエネルギーの貯水池からエネルギーをくみ出すことが出来ます。』

そしてこの能力を試したり、育成したりする方法が述べられていますが、この一つが「雲消しゲーム」なのです。……

面白いことに、実験が成功することを露疑わなければ、必ず成功します。肯定的な態度と成功、否定的な態度と失敗の間には、どう見ても、明確なつながりがあって、この点にきわめて重要な真理がある、とベティーさんは述べておられるのです。

江本氏は、その後「雲消しゲームおじさん」と呼ばれるまでになりました。この雲消しを見たり、自分がやってみて、スピリチュアルな世界やニセ科学を信じるようになった人も多いようです。山本弘さんは、『超能力番組を10倍楽しむ本』（楽工社、２００７年）で、このマジックを行うときのポイントを次のように示しています。

この術を行うのは、よく晴れていて、雲がいくつか浮かんでいる日だ。雲のない日や、逆に空一面が雲におおわれている日はだめだ。

巻雲（けんうん）（すじ雲）、巻積雲（うろこ雲、いわし雲）、巻層雲（うす雲）などはさけること。これらの雲は形がはっきりしていなくて変化が分かりにくいうえ、高空にあって見かけよりもずっと大きいから、消えるのに時間がかかる。選ぶのは２０００～３０００ｍぐらいの低空にできる積雲（わた雲）だ。

また、夏には積雲が積乱雲（入道雲）に成長することがあるので注意しよう。積乱雲は消えるどころか、見る見る急成長してしまうぞ。

雲がある上空では、どこも同じ温度、気圧ではありません。比較的短時間に温度や気圧が変わり、乾いた風がふいたりして雲の粒が蒸発して消えたりしています。雲は、空を流れるだけではなく、短時間に生まれたり消えたりしているのです。

晴天ならどんな雲でも2分間くらいで消えて、別の場所に生まれたりします。そんなときに、適当な雲を選び、〝気〟〝念〟を送っているようによそおえば、雲は自然の摂理にしたがって消えてしまい、見た人は「あの人が雲を消した」と勝手に感心してくれるのです。

3 「地震雲」はあるのか？

地震とは、地表付近で起こった急激な地殻変動による振動が、波となって地表まで伝わってくる現象を言います。地下の地震が発生したところを震源、震源の真上にあたる地表の点を震央と言います。

「地震雲」は、大地震の起きる少し前から直前にかけて、震央付近の上空に独特な雲が現れるというものです。

そういう雲が現れる仕組みについては、岩石のひずみや破壊、断層運動の影響で発生する電磁波の影響で大気がイオン化され、それが凝結核となって特異な雲を生成するなどの説がありますしかし、その「説」はあくまで「仮説」のレベルで、そういう可能性があるというだけです。放出される電磁波でどの程度エアロゾルなどの凝結核ができるのか、それは雲をつくるのに十分なのか、どのような雲ができるのか、すでに起こった地震で検証はできているか、さらに地震予知の三要素（いつ・どこで・どの規模）を満たせる予知可能な現象なのか……などについて信頼性のある根拠はありません。

それでも、雲は、誰でも手軽に観察できるので、ネットに雲の写真とともに地震雲情報が飛び交っています。それらの雲の写真を見ると、普通の雲で、巻雲や強いジェット気流があるときの巻層雲、ときには飛行機雲だったりします。色の付いた雲は彩雲で、とくに珍しい雲ではありません。地震雲ウォッチャーたちが主観的に変わった雲だと思えば地震雲になってしまうのです。
山本弘さんは言います（『謎解き超常現象』彩図社）。

大地震の数日前に必ず「地震雲」が撮影されるのも、何も不思議ではない。現在、日本には地震雲ウォッチャーが大勢いて、地震雲の画像を投稿する掲示板がいくつもある。それらを見ると、ほぼ毎日、日本のどこかで、変わった雲の写真が何枚も撮られていることが分かる。すなわち、いつ地震が起きても、その直前に撮られた奇妙な雲の写真が必ずあり、それが地震雲だったことにされるのだ。その何十倍もの数の、投稿されたものの地震が起きなかった雲の写真については、注目を集めることはない。

つまり、地震雲ウォッチャーたちは毎日毎日、「もうすぐ大地震が起きるかも」と警告し続けているのだ。これでは「あなたはもうすぐ死ぬでしょう」と毎日言い続けているようなものだ。その警告はいつか必ず現実になる。しかし、そんなものを「予知」とか「予測」とか言わないだろう。実際に地震雲が地震の直前に発生するものなら、大地震の直前には地震雲の目撃も増え、こうしたサイトの投稿数は激増するはずである。

だが、そんな傾向はまったく見られない。

日本及びその周辺では、人間が感じない小さな地震まで含めると1年に10万個以上、1日平均300個以上の地震が発生しています。マグニチュード7クラスの地震も4カ月に一度の確率で発生しています。マグニチュード５クラスの地震なら年間１４０個発生しています。「もうすぐ大地震が起きるかも」という警告が当たるのは当たり前なのです。

日本地震学会のサイトに「地震に関するＦＡＱ」というコーナーがあります。ＦＡＱとは「よくある質問」ということです。その中に「地震予知」があります。地震雲の項を紹介します。

質問：地震前に地震雲が現れるという話をよく聞きます。本当でしょうか？

回答：地震研究者の間では一般に、雲と地震との関係はないと考えられています。地震の前兆としての「雲」に関する研究は、過去に何度か発表されたことがあるのは事実で、雲と地震の関係が皆無であると断言はできません。しかしながら、過去の報告例は大地震の前にたまたま特異な雲の形態をみたことで、地震と特異な雲の形態を結びつけてしまうケースが圧倒的に多いのではないかと考えられています（その一方、地震が起きなかった場合には雲のことを忘れてしまいます）。

雲はその場の大気の状態や付近の山岳などの地形次第で、人間の目にはときに無気味な姿や謎めいた形となって、さまざまに現れます。従って、例えば竜巻状や放射状や断層状に見えたとしても、それが地震前兆なのかどうかを疑う前に、低気圧が接近中だったり近くに存在していないか、前線はないか、気圧の谷が上空を通過していないか、高さによって風向が食い違っていないかなど、まず気象の面から十分に検証することが大切です。

そこには、次のような補足回答がついています。

「地下の現象である地震と、大気中の現象である雲とを直接・間接に関連付けるメカニズムが考えられていないことです。地震雲を説明する際に、地震の前の岩石の微小破壊による電磁波の発生が用いられることがありますが、微小破壊で電磁波が発生することはありえるとしても、地下深くで発生した電磁波が地表に伝わるしくみを十分に説明した学説はありません。さらに、地表に電磁波が伝わったとしても、その電磁波によって地震雲が生じるしくみを十分に説明した学説もありません。」「メカニズムが不明でも、『地震雲』の定義が明瞭で、一定の基準で認定された『地震雲』と大地震との対応例が多数報告されていれば、経験的あるいは統計的に『雲』を地震の前兆と捉えることが可能ですが、実際には、報告されている『地震雲』のほとんどは、その定義が……不十分・不明瞭で統計的な検討が困難です。」「一般の気象研究者も『地震雲』には否定的です。その理由は、報告されている『地震雲』のほとんどが、飛行機雲、あるいは、巻雲・巻積雲や層積雲の変異パターンとして（つまり、「通常の雲」として）説明可能だからです。」

マグニチュードを考案した地震学者リヒターは、およそ40年前にこうコメントしています。

「ジャーナリストと一般大衆は、満杯のえさ箱に向かう豚のように地震予知の考えに群がる。（予知によって）素人、変わり者、及び公然と有名になりたがる詐欺師に、幸福な狩り場が提供されている。」

今のところ、地震雲による地震予知もそういうものでしょう。

４「陰の世界支配機関」がケムトレイルをまいている？

「ケム」は化学の英語名ケミストリーから、「トレイル」は、「船舶などの航行した跡。船の通った跡に残る白い波や泡」のことで、ケムトレイルはこれらをくっつけた言葉です。

米国で盛んに言われていて、わが国ではなじみがないかもしれません。ケムトレイルは飛行機雲のような形をしているが、飛行機雲と違い、有毒化学物質を散布した跡だというのです。

ケムトレイルを信じている人の間で、誰がなぜまいているのかについては諸説あります。メインは、まいているのは米国政府や「陰の世界支配機関」で、目的は、増えすぎている世界人口を減らすための実験というものです。しかし当の米国は人口が減るどころか増加しつつあります。ケムトレイルをまいているとされる飛行機が飛んだ後、有毒化学物質が検出されているという信頼性あるデータもありません。

結局は飛行機雲です。信じている人は「長く残る飛行機雲なので普通の飛行機雲ではない」といいますが、実は飛行機雲も条件によっては数時間どころか数日残るというケースもあるのです。飛行機が飛行する対流圏上層は大気条件が比較的安定していますので、このように飛行機雲が長く残ってしまうこともあります。

寺薗淳也さん（会津大学）は、「このケムトレイルは、陰謀論にありがちな典型的なパターンがみえるという点で面白い題材といえるだろう」として次のように述べています（『理科の探検

（RikaTan）』誌、2014年冬号）。

まず、証拠とされるものが写真や映像であるということ。たとえばアポロ疑惑の場合を思い出して欲しい。たいてい陰謀論者が持ち出すのはアポロ計画で月面で撮影された写真や映像であった。そして、「それがおかしい」とケチをつけてくるのである。ただ、逆にいえばそれ以外には何の「証拠」もない。写真のおかしさにしても、ちょっと科学的な思考でひもとけばすぐに解決するものばかりである。結局、わかりやすい写真や映像からすぐに飛躍した結論へ飛んでいってしまうというのが、陰謀論のセオリーである。

次に、背後に出てくるのが必ず誰もが知っている大きな組織であることである。ケムトレイルの場合はアメリカ政府や世界を支配する巨大組織など。アポロ陰謀論ならＮＡＳＡ、ＳＡＲＳが生物兵器であるという陰謀論なら製薬会社である。ポイントは、誰でも知っていてすぐに思い浮かべることができ、そして巨大であり、外からはちょっとうかがい知れないような組織であるという点である。会津大学が陰謀を企てている、といってもおそらくはほとんどの人は鼻で笑って終わってしまうだろう。「誰もが知っている（思い浮かべられる）（かつ、権力か技術力を持っている）巨大組織」を首謀者にするのが2つ目の陰謀論のセオリーである。

3つ目は、普通なら考えもつかないような大きなことを目標に設定するというものである。ケムトレイルなら世界の人口減少や気象制御など。9・11陰謀論なら世界の金融の混乱など。アポロ疑惑は宇宙計画の問題など。できる限り世界レベルの話がよい。

そして題材は必ず、誰もが知っている事件でないといけない。ただ、９・11やアポロ月着陸はそうであるが、ケムトレイルの場合はあまり世界的ではなく、どちらかというとアメリカに集中しているというのが特徴的ではある。ただ、アメリカの情報発信が活発であることが世界中に拡散しているという原因ということはあるだろう。

なお、地震雲でもケムトレイルでも飛行機雲が主役です。

どうして飛行機が飛んだあとに雲が現れるのでしょうか。いちばんの原因は、飛行機のエンジンから噴射される排気ガス中の水蒸気です。飛行機が飛ぶ高度１万メートルでは、真夏でも外気はマイナス50℃くらいの低温です。そこに、エンジンから水蒸気が放出されれば、あっという間に冷やされて細かい水滴や氷の粒になります。

飛行機と飛行機雲をよく見ると、飛行機雲はエンジンの本数だけできることがわかります。エンジンのある両方の翼のところから出てきます。エンジンが２つの飛行機は飛行機雲を２本、エンジンが４つの飛行機は飛行機雲を４本です。

なお、飛行機が飛んでいる上空の湿度がとても低い、つまり水蒸気があまりふくまれていないときは、飛行機雲ができにくくなります。これは、エンジンから放出された水蒸気が、飽和せずに水蒸気のままでいられるからです。逆に、飛行機雲ができやすく、できた飛行機雲がなかなか消えないときの上空は、水蒸気がたくさんふくまれているということです。ですから、飛行機雲がなかなか消えない場合は天気が崩れる可能性があります。

【コラム】アポロは月に行っていない説（陰謀論）

月探査のアポロ計画では、1969年7月20日のアポロ11号以来、1972年までに計6回の月着陸を実現しました。宇宙飛行士たちが月面を歩いた姿も映像に収められているし、合計で400キログラム近い石も持ち帰られました。

しかし、人類最後の月着陸船が月面を離れてから、四十数年が経ちました。アポロ11号を生中継で見ていない世代には「アポロの月着陸はウソ」というTV番組をまともに信じる人が多いようです。

次に代表的な疑問とそれへの答えをあげておきましょう。

「宇宙飛行士が月面にいるなら、星が写っていないのはおかしい」

宇宙空間で見る星はかすかな光の点。太陽の光で照らされた月面や飛行士と比べて光のコントラストが違いすぎて星は見えないのです。

「月面は真空のはずなのに立てた星条旗がはためいているのはおかしい」

宇宙飛行士が旗のポールを回したために揺れたからです。地球上と同じ「慣性の法則」が成り立つので旗竿の揺れはすぐには止まりません。まわりは真空ですから余計です。しかも、はためいて見えるように星条旗にはワイヤも仕組まれていました。

「太陽光しか光源がないはずなのに影の向いている方向がバラバラなのはおかしい」

地面の凸凹を忘れていたり、遠近法によって影が太陽方向に収束していたりするのを見誤っているためにそう見えるのです。

アポロ陰謀論の背後には、「当時は米国とソ連が冷戦で、米国は国の威信を懸けてソ連より先に月に到着しようと焦っていた。NASAは体面を保とうとして地上に月面のセットを組み、アポロ11号の月着陸の映像を捏造したのではないか」という認識があるようです。

私は、地球上で映画として撮ったなら当時のソ連がそれをすぐに追及しただろうと思います。

2011年9月に、NASAが1960〜70年代のアポロ計画着陸地の鮮明な新画像を発表しました。NASAの月探査機ルナー・リコナサンス・オービター（LRO）が、アポロ12号、14号、17号の着陸地を撮影したものです。月面は空気がなく、したがって風がないので足跡などがずっと残っています。

たとえば、アポロ14号（1971年2月）では、アラン・シェパードが人類初の月面ゴルフをしてみせたときの跡もはっきりと映っています。

第10章　ニセ科学にだまされないために

1　なぜニセ科学を信じてしまうのか?

(1)「人はだまされるようにできている」ことを知る

認知心理学の研究者である菊池聡さん（信州大学人文学部准教授）は、「ニセ科学を信じてしまう心のしくみ」という論説（『理科の探検（RikaTan）』誌2014年春号）を次の言葉から始めています。

「なぜこんなものに騙されてしまうんでしょうかね?」

ニセ科学を小道具にした問題商法などが報じられると、ため息まじりにこう尋ねられることがあります。

もっともな疑問だと思います。よい言葉をかけると水がきれいに結晶するとか、細菌が放射能を消滅させるとかいう話は、ごく常識的な科学知識があれば、ひっかかりようのない話だと思いませんか。

しかし、こんな時に私はたいていこう答えます。「なぜ騙されてしまうのか、と問うより、なぜ騙されない人がいるのかと考える方が適切ですよ」と。


菊池さんは、「普通ならば常識ある人は騙されないはずだという暗黙の前提があ」るようですが、それはおそらく逆で、「事実でないことでも事実のように信じてしまう思考傾向は、もともと人の心理システムに組み込まれており、簡単には騙されない思考こそ、そのシステムに逆らっているととらえる方が、より適切で建設的だと考えられ」るというのです。

「たとえ正確な情報や知識を得ていたとしても、時には自ら情報を歪め、あえて誤認識するようにも働くのです。この過程は認知バイアスとも呼ばれ、人が『自分で自分を騙す』仕組みを備えていることを意味します。……これらのバイアスは、人が進化の中で身につけてきた有用性のあるものなのです。そして、ニセ科学を考える時には、この心の働きを念頭に置いておく必要があ」るのです。


その上で、ニセ科学を受け入れてしまう心理的要因として指摘されているのが、「1　社会的な情報の（無批判な）受容」「2　人の基本的な動機づけ」「3　見かけの実用性」「4　具体的な体験」だとしています。

「1　社会的な情報の（無批判な）受容」は、「権威ある」と思われる情報源（マスコミ〔テレビ、本や雑誌など〕や信頼できそうな肩書きの「専門家」のいうこと）を信頼して受け入れる思考傾向です。あらゆる情報を疑ってかかるのはできないので、この思考傾向は自然なことです。

「2　人の基本的な動機づけ」は、新しい未知の出来事に対して興味をもち、「説明をつけたい」という気持ち（動機付け）をもっていることです。また、「科学的な正しさ」よりも「環境をよくしたい」などの善意への傾斜も見られます。

「3　見かけの実用性」は、たとえ科学的に誤っていても、見かけ上実用的な価値がある場合が多いということです。たとえば血液型性格学はコミュニケーションなどに役立つ面があります。

「4　具体的な体験」は、自分自身や身近な人による直接・間接の体験です。その直接・間接の体験から自分の考えに合った事実だけを切り取り、不都合なことは無視する認知バイアスの影響下で自分の考えを強めてしまいます。

認知とは、認識とも言い、事物や事象について知ること、あるいはその過程を意味します。バイアスは、偏り、偏見、先入観を意味します。「認知バイアス」は「私たちの認知の中にある思考の偏り（傾向）」です。

「多くの人がニセ科学を信じてしまうのは、科学知識が不足していたり、理科教育（科学教育）が弱かったりするからだ」ということだけからでは説明できません。私たちが思考するときに、常に認知バイアスが働いています。その結果、ニセ科学を受け入れてしまうことも起こるのです。

(2) 認知バイアスの中でとくに知っておきたい「確証バイアス」とは?

人間は、自分の信じていることと矛盾する証拠を無視したり、曲解する傾向があるだけではなく、自分の信じていることを裏付ける証拠や議論ばかりに目を向け、認知する心的傾向があります。これを確証バイアスと言います。

確証バイアスは、一言でいえば、「自分に都合のよい事実だけしか見ない、集めない」ということです。自分に都合の悪い事実は無視したり、探す努力を怠ったりします。このため、最初に自分が信じた考えを補強する情報を集め、自分の考えは「間違っていない」と思い込んでしまうのです。

簡単な例を出すと、一緒に出かけると必ず雨が降る「雨男・雨女」などというのがあります。雨男や雨女が存在すると信じ、ある人が「雨男」だという考えをもつと、その人がいるときに雨が降っているという事実のみが強く印象に残り、雨が降らなかったときには注意を引かずに忘れられるのです。

確証バイアスが働いているのに、自分は合理的にしっかり考えていると思っています。しかし、私たちの思考は完全ではありません。確証バイアスのような認知バイアスは誰にでもあるのです。科学的に考えるということは、ひとつのことをいろんな角度から柔軟に考えることができる頭を持つことでもあります。ですから自分の考えへの批判的な意見も意識的に探して、必要なら自分の考えを修正したりもすることです。

(3) あふれる健康情報と体験談

ニセ科学は、とくに健康をめぐる分野で蔓延しています。アトピーが治る、がんにならない、がんが治る、など病気の不安心理につけ込み、ニセ科学の衣で科学っぽい雰囲気を出し、体験談や仮説的な説明で根拠があるかのようにした怪しい健康情報がテレビや新聞・雑誌などのメディアを通して迫ってきています。

食事のときに「お前、本当に忙しいねえ。○○は△△にいいんですから食べなさい」などと90歳に近い母がぼくに言います。息子の健康を心配しての言葉です。結局のところ、どこかで聞いたという話です。一番影響を与えているのがテレビのようです。

そういう健康情報が流布(るふ)するときに、体験談なるものが威力を発揮しているように思います。新聞の折り込みチラシや雑誌の広告ページには、「○○のおかげで健康になりました」という体験談がたくさん載っています。今までも捏造の体験談の本が摘発されたことがあります。体験談はいくらでも捏造できるのです。もし体験談が本当だとしても、本当にその食品で治ったかどうかははっきりしません。他の原因で治ったのかもしれません。治っていない、あるいは悪化した人が多数いるかもしれません。

テレビによって、ニセ科学やオカルトも疑似体験化され、「実際にある」と思わせられたりしています。「テレビで見た、写真で見た」ことが、多くの人に〝事実〟化している面があります。

また、実際に自分が体験したことも、錯誤もあるし、自分にとって有利なある体験だけ記憶しがちであることにも注意しなければなりません。

さらに、人は、私の母がそうであるように、今までの体験や知らないうちに学習して身につけた素朴理論をもっています。健康についての素朴理論で、まわりの健康情報を排除したり受け入れたりしています。自分が気に入ったものは受け入れるが、気にいらない情報は欠点を見つけ出したりして、それを排除します。結果として、「自分が正しい」となりやすいのです。

こうした「体験」の危うさについて、いつも注意しなければなりません。薬や食品の有効性を調べる試験では、試験管レベル、動物実験レベルの根拠性は低いのですが、それよりもずっと低いのは体験談です。人を対象にした試験で有効性がないものには近づかないことです。

体験談はライターの創作（でっちあげ）の場合もあります。本当の体験談であっても、本当にその商品を摂取したり使ったりしたから治ったのかどうかははっきりしていません。本当に効くかどうかは、人の集団を使って、ダブルブラインド法（二重盲検法）などで科学的に調べなければなりません。

(4)　スティーブ・ジョブズの後悔

アップル社の創設者の一人にして絶対的なカリスマ性をもち、数々のすぐれた製品を世に送り出してきたスティーブ・ジョブズ。彼は、２０１１年に56歳という若さでなくなってしまいました。

「自身が語り尽くした公式伝記」といううたい文句のアイザックソン著・井口耕二訳『スティーブ・ジョブズ　Ⅱ』（講談社、2011年）によると、彼は、2003年、すい臓がんと診断されました。そのすい臓がんは、幸いにも悪性度の高くない、珍しいタイプで、進行が穏やかで治療可能なものでした。そのタイプのすい臓がんとわかっとき、医師らは「よかった！」と喜びのあまり涙ぐんだということです。

ところが、彼は、医師らによる現代医学の治療を拒否したのです。「権威を信じない」「自分一人を信じる」という彼の信念がそうさせたのかもしれません。インターネットで探し出して、絶対菜食、ハリ治療、ハーブ療法、心霊治療などの民間医療、現代医学に対する代替医療で治そうとしました。しかし、9カ月後の検査でがんが大きくなっていることがわかりました。10カ月後にやっと摘出手術をしましたが、遅かったようです。

彼が命を落としたのは、民間医療、代替医療にたよって、時間を無駄にしたのが原因かもしれません。彼は後に時間を無駄にして手術が遅れたことを非常に後悔していたということです。

彼のような高い知性の持ち主でも、ニセ科学、ニセ医学にはまり込む可能性があるのです。

2　ニセ科学は誰を狙うか

ニセ科学を「すごい！　すごい！　驚きの技術だ、考え方だ」と褒めそやしてニセ科学の普及に一役も二役もかってきた船井幸雄氏という経営コンサルタントがいます。

１９９５～96年に2巻目もふくめて５００万部を超えるベストセラーになった春山茂雄『脳内革命』（サンマーク出版、１９９５年）も、船井氏の後押しがありました。これは、神経伝達物質にすぎない脳内モルヒネが成人病、がん、エイズにも効くという、脳内モルヒネ万能をうたったものでした。

船井氏は、ＥＭ菌の比嘉照夫氏も強く後押ししました。こちらはＥＭ菌が、よい「波動」を出して、あらゆることに効果があるとするＥＭ菌万能論でした。船井氏は、それらのブームを巻き起こした後ろ盾でした。

世の中で影響を与えるにはそれなりのマーケティング論が活用されています。

彼の場合、人を4段階に分けてその第一のタイプ「先覚者」（２％くらい）に注目しています。その男女比は男：女＝２：８で、女性がメインだとしています。

船井氏によると、「先覚者」は、インドにサイババという不治の病を治したり、何もないところから灰や指輪などを出す「超能力」の持ち主がいると知れば、すぐに信じて、サイババに会いに行くような人です。なおサイババは亡くなりましたが、彼の「超能力」は結局はマジックで、二流のマジシャンであるとマジシャンに見抜かれています。

第二のタイプは「素直な人」（20％）です。「先覚者」のいうことに素直に耳を傾けます。

第三のタイプは「普通の人」（70％弱）です。

最後が「抵抗者」（10％弱）。50歳以上の男性に多いと言います。職業的には学者、マスコミ人です。それで、彼は「抵抗者」は無視と言います。

第一の「先覚者」の3、4割が動き出すと「素直な人」の半分くらいが同調する、さらにそれに「普通の人」が追随する、と言います。それでブームを起こそうというのです。ですから、船井氏が推薦する「驚きの技術」なるものは、まず「先覚者」に伝えて動かすということです。

私たちニセ科学批判派の側からこれを見ると、とくに「先覚者」や「素直な人」はニセ科学に引っかかりやすい人たちです。ニセ科学側は、そういう人たちを動かそうといつも狙っています。

ニセ科学を活用する商売人たちは「これを買って使えば健康によい」と納得させようと必死です。それにはまず信じやすい素直な人を納得させて、後は口コミや「現代の口コミ」であるインターネットなどで普通の人まで広げていくのです。

いまや、その中に教員もかなりいるのが大問題です。子どもでも騙されにくい『水からの伝言』などに感動し、それを広め、授業でやってしまう人たちです。

3　ニセ科学にだまされる背景

(1)　科学っぽい雰囲気にだまされやすい

世界でも有数の長寿国になって健康への異常とも言える執着があります。そしてお金もあります。科学知識や科学センスに弱くても、科学っぽい雰囲気には騙されやすいです。そこをいつも狙われることに留意です。

ニセ科学にはまり込むと、「無駄な金や時間が消費される」「善意が虚しい活動に消費される」「治る病気が治らない、悪化する」などの大きなマイナスがあります。

(2) 教育のあり方

ニセ科学を受け入れがちなもう一つの原因は日本の教育のあり方です。物事をクリティカル（懐疑的）に捉えることを教えるのではなく、教科書はすべて正しいと受け止めさせて覚えさせ、試験でそれを吐き出させるというやり方になっています。

(3) テレビなどメディアの問題

オウム真理教によるサリン事件が起こったときに、テレビ局はオカルト的な番組を自粛していました。しかし、今や、『占い師』「霊能者」「超能力者」なる人びとがテレビによく登場し、視聴率を稼いでいます。

現実が厳しくなり、不安感がいっぱい、未来に夢がもてないとき、「誰にでも潜在的に超能力がある」「霊がある」「生まれ変われる」「未来を予知できる人がいる」……などの考えは癒やしになるかもしれません。占いもプラス的なことを適当に気にしているくらいなら癒やしになり実害はないでしょうが、それで人生の重大事を決めたとしたら人生が左右されてしまいます。オカルトは信じるものではなく批判性を持ってシャレで楽しむ程度にしたいものです。

4　ニセ科学に引っかからないセンスと知力

(1)　途方もない主張には、途方もない証拠が必要

カール・セーガンは、著書『ＣＯＳＭＯＳ（コスモス）』（木村繁訳、朝日選書、１９８０年）の中で「途方もない主張には、途方もない証拠が必要である」と語っています。

ニセ科学は、通常の科学から見て「途方もない主張」をすることが多いものです。

たとえば、第一章で扱った「ＥＭ」を思い出してみましょう。

私は、ＥＭの万能性を信じる人と話をするとしたら、次のように言うでしょう。

「１２００℃でも死滅しない？　それはすごい微生物群ですね。それはきちんと検証されているのですよね？　それならちゃんとした学術雑誌に発表されていますね？」

「ＥＭを入れた密閉容器の上のウイルスは失活する？　それはすごい結果ですね。それはきちんと検証されているのですよね？　それならちゃんとした学術雑誌に発表されていますね？」

この２つだけでも事実ならば、これまでの生物学などをひっくり返すほどの衝撃を与える主張です。ちゃんとした学術雑誌に発表され、さらに追試もクリアして、科学の世界で認められるようになります。しかし、これらの「途方もない主張」は、ただ主張されるだけです。「途方もない主張には、途方もない証拠が必要である」のに、「途方もない証拠」が弱いのです。

もし、本気で「途方もない」主張をするなら、その人こそ疑問の余地のない実験などの検証をすべきです。

(2) インターネットや本などでまともな情報を調べる

科学者は、ニセ科学はあまりにも荒唐無稽で相手にしたくないという気持ちをもっていることが多いです。ニセ科学を批判しても、研究業績になりませんからなおさらです。相手は、ニセ科学でも何でも使って儲けることに命をかけた業者の場合が多いです。そんな相手と対決するのはとても大変です。

ですから科学者からニセ科学を批判する本や「論説」はほとんど出てきません。それでもニセ科学の蔓延に危機感をもった科学者の一部が動き出しています。

私が、理科教育の研究の立場からニセ科学に問題意識をもったのは、『水からの伝言』におかしさを感じたからです。ちょうど、そんなときに、日本物理学会が２００６年3月に愛媛大学での年次大会最終日に、「『ニセ科学』とどう向き合っていくか?」と題してシンポジウムを開催されたことを新聞報道で知りました。

シンポジウムを提案した学習院大学教授の田崎晴明さんは、『水からの伝言』が授業に使われていることに衝撃を受けました。「子どもに『良い言葉』を使わせるために、科学の装いが使われている。科学以前に、人として許せないと思いました」とコメントしていました。

それから、私は、有志と共に「ニセ科学フォーラム」を京都、東京、大阪で開催するようになりました。

インターネットにもニセ科学やニセ科学の説明を用いた商品などへの批判的なブログ記事やツイッターのまとめ記事なども増えています。知りたい商品などに「批判」、「トンデモ」などをくっつけて検索すると、いくつかヒットする場合が増えてきました。

また公的な機関が情報を提供している場合もあります。

たとえば、健康食品なら、国立健康・栄養研究所サイトの〝「健康食品」の安全性・有効性情報〟のコーナーにある「素材情報データベース」で成分名（素材名）を入れると、その成分の科学的な情報が得られます。

(3) こんな言葉に注意

ニセ科学でだまそうとする商品には、その説明に、いくつかのキーワードがみられます。「波動」、「共鳴」、「抗酸化作用」、「クラスター」、「エネルギー」、「活性」や「活性化」、「免疫力」、「即効性」、「万能」、「天然」などです。

これらの言葉があったら、「怪しい」可能性が高いです。同じ言葉が科学にあっても、ニセ科学のなかでは、言葉の意味が変えられたりしています。こうした科学的な雰囲気をもつ用語がちりばめられると、科学への理解は弱くても科学的な雰囲気には弱い人たちにうまくアタックするのに効くからです。

(4)　万能性をうたうものに近づかない

たった一つのもので、あらゆる病気が治ったり、健康になったりする万能なものはありません。「そんな一つ二つのもので魔法のように健康になれるものがあるのか」と考えてみましょう。科学的な常識は、いつも「毎日のバランスのとれた食生活、適度な運動、適度にストレスを発散できる趣味などの活動」の重要性を教えてくれるはずです。

(5)　好奇心を持ち続けること

もっとも根本的には、自然を好きになり、理科（科学）に興味関心を持ち続け、知的なセンスを磨くことだと思います。

少し自分のことを述べたいと思います。

私は、小学生のころ、学校から帰るとランドセルを家に放り投げて、川や山に遊びに行ったものです。とった魚や貝、キノコなどは夕食のおかずになりました。地域でメンコやベーゴマにも興じました。経済的には貧しかったが、いつも毎日が輝いていました。「今日は何がおこるんだろう?」というわくわくとした好奇心をもって、日々を過ごしました。

冒険小説や未知の世界を解説する書物を読んでは想像をふくらませていました。学校の成績はひどいものでしたが、探検心や冒険心をもっていたいたずら好きの子どもでした。

大人になっても好奇心をもっていたいという気持ちで、私は理科の教員になりました。

60歳半ばを超えたというのに、今も、理科好きの心がうずき、私を駆り立てるものがあります。学生たちと実験をしたり、子どもたちに理科を指導したり、学生や先生方に理科の指導法を講演したりの毎日を送っています。さらに理科好きな大人を読者対象にする『理科の探検（RikaTan）』（発行元：SAMA企画、発売元：文理）という雑誌の編集長をしています。

理科（サイエンス）は自然界の不思議な現象を解き明かそうとする人びと、つまりは未知への探究行動性をもった人びとによって推進され、体系化されてきました。

そういう心をもった存在として、すぐ思いつくのは「子ども」でしょう。

もともと子どもたちは、知りたがりです。本来、子どもたちは未知への探究行動性をもっています。つまりわからない物事がどうなっているかを探りたい気持ちをもち、実際に物事にはたらきかけることをするものです。そういう心は、小さい子どもほどあるもの。ある程度知的な成長をすれば、子どもたちはいろいろな疑問を大人にぶつけてきます。世の中には、狭くは自然界にはわからないことばかり。しかし、大人がそれに答えるのを面倒がり、いい加減に対応すると、子どもたちは次第に問いを発することを止めていきます。与えられた知識を覚えるだけでいいやとなってしまいます。いろいろな理由で、長じるにつれて好奇心、探究心が弱まっていきます。

本来なら大人になっても好奇心一杯で、未知への探究行動性をもっていてもおかしくないのです。それが人間なのですから。理科好きって、子どもでも大人でも「好奇心一杯で、未知への探究行動性をもっている」ということではないでしょうか。

では、「好奇心一杯で、未知への探究行動性をもっている」大人にどうしたらなれるのでしょうか。

私は、先に述べたように、小学生時代は川で魚をつかまえるとか、自然の中で遊んでいただけ。理科だけは好きだったが、他の教科はまったくダメ。ただ自然の中でおもしろいものを見つけたり、じっくり観察したということが、現在の仕事につながっています。

中学のときに栃木県から東京都に転校したら、成績は40人以上いるクラスでビリから2番目。でも高校生になって将来を考えたとき、「唯一好きな理科の方面に進みたい！」と思いました。学校の成績は依然としてダメでしたが、がんばってみたらだんだんおもしろくなっていきました。それは自然の中で「おもしろいな」「不思議だな」という体験をたくさんしてきて、その原理や法則が学習する中で「あっ、そうだったのか！」とわかったからだと思います。

自然の中で、おもしろいことを発見したり驚いたりする体験は、知識を裏づけるものへと発展するものです。

大人も子どもと一緒になって〝不思議なこと〟に興味をもつことです。好奇心はサイエンスのはじめの一歩です。

自然の事物や現象に「なぜ？」「どうして？」といった目を向けて観察・実験をしてみると、理科はぐっと身近なものになります。「すごい！」「不思議だな！」と感じる力は、自然のなかでおもしろいものを見つける力と同じく、人生で体験するいろんなことをおもしろがれる力になります。ぜひ大人になってもわくわくする体験をしてほしいと思います。

本物の自然を感じとっていると、まがい物を見抜けるようになります。

あとがき

私は、さくさく読めて系統的に基本的なことを身につけられるようにと、理科の本を書いてきました。そのうちの何冊かを紹介しておきましょう。これらは、中学校レベルですが、中学校理科レベルをきちんと理解しておくことは科学リテラシーの土台になると思います。これらから、まず理科・科学の本来的な楽しさを知ることです。

- 『大人のやりなおし中学生物』サイエンス・アイ新書（ＳＢクリエイティブ）＊左巻恵美子との共著。
- 『大人のやりなおし中学物理』サイエンス・アイ新書（ＳＢクリエイティブ）
- 『大人のやりなおし中学化学』サイエンス・アイ新書（ＳＢクリエイティブ）
- 『大人のやりなおし中学地学』サイエンス・アイ新書（ＳＢクリエイティブ）
- 『2時間でおさらいできる理科』だいわ文庫（大和書房）
- 『面白くて眠れなくなる物理』（ＰＨＰ）
- 『面白くて眠れなくなる化学』（ＰＨＰ）
- 『面白くて眠れなくなる地学』（ＰＨＰ）
- 『面白くて眠れなくなる理科』（ＰＨＰ）

このような本を書いてきたのは、理科教員として、次の思いで理科教育・科学教育をやってきたからです。24年前に出した『おもしろ理科授業入門』（日本書籍　1991年6月初版）に書いたものです。

自然科学は、客観的実在たる自然の構造、法則性、歴史をさぐっていくという理論的探究の営みである。また、その探究の結果として、その歴史的時点での自然像をはっきりさせる体系的知識でもある。

その自然科学をなぜ教えるか。

ぼくは、自然科学教育の目的を2つにしぼってみた。

第1に、おもしろいからである。

秘密におおわれた自然界のベールをはいでいく、未知の世界だったものがとらえることのできる世界に変わっていく、同時にその先に「わからない世界」が浮かび上がってくる……それは大変おもしろいことだ。

子どもたちは未知への探究行動を本性上もっているのだ。だから元来、子どもたちは自然が好き、自然科学が好きである。

自然科学の授業は、自然の秘密を解きあかす理論的探究を、教室の場で行っていくことなのである。

第2に、行動判断の土台になるからである。

本当に生死をかけたレベルでの行動の判断は、自然科学の基礎的知識なしでは行えない。

日常生活では、そんなことはほとんどおこらない。しかし、直接すぐには生死にかかわらないが、公害・環境破壊などじわじわすすむ大量殺人、戦争といった大量殺人に結びつくウソが満ちているのが今日の社会である。それらのウソにだまされないようにしなければならない。

一見してウソとわかるような粗っぽいデマゴギーなどではなく、「科学的よそおい」をこらした情報がいっぱいなのである。例えば、政府・電力業界による原子力発電の宣伝がそうである。それらのウソを見ぬく力を自然科学教育だけで育てるのは無理だが、自然科学なしでは到底できるものではない。


ニセ科学の批判については、『水はなんにも知らないよ』ディスカヴァー携書（ディスカヴァー21）を出しています。本書でも取り上げた『水からの伝言』の批判と、当時流行していたニセ科学的な説明で販売されていた水の商品を検討したものです。

私は、本の執筆とともに、大人の理科好きのための『理科の探検（RikaTan）』誌の編集長として、２０１２年夏号（創刊号）から２０１５年秋号（通巻17号）までを仲間と発行してきました。毎号、ニセ科学についてもテーマにしていますが、これまで、２０１４年春号（通巻10号）で「ニセ科学を斬る！」、２０１５年春号（通巻14号）で「ニセ科学を斬る！　リターンズ」を特集にしました。２０１６年春号（通巻19号）でもニセ科学を特集予定です。

結局は、知的好奇心を持ち、日頃から理科・科学に親しみ、センスを磨いておくことがニセ科学に騙されない早道だと思います。

左巻健男（さまき　たけお）

1949年栃木県生まれ。千葉大学教育学部卒業。東京学芸大学大学院修士課程修了（物理化学・科学教育）。中学校、高校の教諭を26年間務めた後、京都工芸繊維大学アドミッションセンター教授を経て2004年から同志社女子大学。2008年より、法政大学生命科学部環境応用化学科にて教授職。2014年4月より法政大学教職課程センター教授。

検定中学校理科教科書『新しい科学』編集委員・執筆者。『理科の探検（RikaTan）』誌編集長。

著書に『面白くて眠れなくなる物理』『面白くて眠れなくなる化学』『面白くて眠れなくなる地学』『面白くて眠れなくなる理科』『ウンチのうんちく』（PHP研究所）、『2時間でおさらいできる物理』（だいわ文庫）、『水の常識ウソホント77』（平凡社新書）他、単著書・編著書多数。

ニセ科学を見抜くセンス

2015年9月30日　初　版
2015年12月10日　第5刷

著　者　左　巻　健　男
発行者　田　所　　稔

郵便番号 151-0051 東京都渋谷区千駄ヶ谷4-25-6
発行所　株式会社　新日本出版社
電話 03（3423）8402（営業）
03（3423）9323（編集）
info@shinnihon-net.co.jp
www.shinnihon-net.co.jp
振替番号 00130-0-13681

印刷　亨有堂印刷所　　製本　光陽メディア

ISBN978-4-406-05937-4 C0040　Printed in Japan